LOS CINCO
MINUTOS DE DIOS

ALFONSO MILAGRO
Misionero Claretiano

LOS CINCO MINUTOS
DE DIOS

Nueva edición

*Breves reflexiones
para cada día del año
con la Biblia
y con la vida diaria*

EDITORIAL CLARETIANA

Milagro, Alfonso
    Los cinco minutos de Dios - 5a ed. 19a reimp.
    Buenos Aires : Claretiana, 2009.
    416 p. ; 17x11 cm.

    ISBN 978-950-512-378-0

    1. Espiritualidad. I. Título
    CDD 248

5ª ed. 19ª reimp., junio de 2009

Impreso en la Argentina
Printed in Argentina
© Editorial Claretiana, 2000
ISBN: 978-950-512-378-0

EDITORIAL CLARETIANA
Lima 1360 - C1138ACD Buenos Aires
República Argentina
Tel: 4305-9510/9597 - Fax: 4305-6552
E-mail: editorial@editorialclaretiana.com.ar
www.editorialclaretiana.com.ar

Presentación a esta nueva edición

El padre Alfonso Milagro, que escribiera estas páginas interpretando las palabras de Jesús -"*Te alabo Padre, Señor del cielo y de la tierra, por haber ocultado estas cosas a los sabios y prudentes y haberlas revelado a los pequeños*" (Mt 11,25)- tal vez no hubiera nunca imaginado que su invitación a encontrarnos **cinco minutos con Dios** en el ritmo vertiginoso de los tiempos actuales convocara a más de **medio millón de personas.**

Por ellas, y por los futuros lectores, presentamos una nueva edición de su obra con algunas adaptaciones menores que actualizan aun más el mensaje, sin alterar su particular estilo coloquial y popular.

Para esta edición se tomaron las citas bíblicas de *El Libro del Pueblo de Dios,* traducción de la Biblia que, por su estilo, resulta más cercana a nuestro lenguaje.

Además incluimos un índice de referencias que puede facilitarnos el acceso a las fuentes de los textos citados, que pertenecen no sólo a los libros de la Biblia sino también a documentos del Concilio Vaticano II.

Deseamos que estas páginas continúen inquietando a muchos hombres y mujeres que, en búsqueda de sentido para sus vidas, perciben la presencia de Dios y se sienten interpelados por su Palabra.

El editor

ENERO

Gracias, Señor,
por este nuevo
año que me das.
¿Qué esperas de mí?
¡Aquí estoy,
atento a tu palabra!

ENERO

Enero 1

Todos nos felicitamos hoy, deseándonos: "¡Feliz Año Nuevo!" Y somos sinceros al hacerlo.

Y también solemos repetir la conocida frase: "¡Año nuevo, vida nueva!"

Un nuevo año supone para cada uno de nosotros una nueva posibilidad de mejoramiento, de perfección, de propia superación. No te contentes con ser este nuevo año como fuiste el año pasado. No; no te digo que el año pasado fuiste malo; pero es verdad que en este nuevo año tienes que ser mejor.

Porque si fue bueno que el año pasado no hayas sido malo; sería muy malo si este año no fueras mejor. Es la ley del progreso, que es ley propia de todo ser viviente. Así como vas adelantando en todo, en edad, en conocimientos, en experiencias... también debes ir creciendo en tu espíritu.

Feliz año nuevo, pues, te deseo, con esa felicidad que es fruto del esfuerzo diario por superarse en cada uno de los actos.

L *a gracia, además de conciente, tiene que ser en ti "creciente"; ha de ir aumentando cada vez más; sigue el ejemplo de Jesús, que "iba creciendo y se fortalecía, lleno de sabiduría y la gracia de Dios estaba con él" (Lc 2,40).*

Enero 2

Los niños y los adultos ya vamos soñando en los Reyes Magos; los niños por los Reyes, y los adultos porque añoramos nuestra niñez.

¡Es que resulta hermoso volver a soñar con sueños de niño!

Llega un rey de barba blanca y otro de barba de trigo; llega un rey de cara negra: los tres van buscando un Niño.

Montan en tres camellos, que por curvas y caminos los llevan en sus jorobas: los tres van buscando un Niño.

Pasan ciudades con torres, donde hay chiquitos dormidos, y cruzan campos de sombras: los tres van buscando un Niño.

Vienen de palacios de oro estos tres reyes magníficos, montados en dromedarios: los tres van buscando un Niño.

Este tiene un manto rojo y aquél un manto amarillo, un manto azul el tercero: ya lo encontraron al Niño.

Baltasar le ofrece mirra y Melchor presenta el oro; Gaspar ofrece el incienso: a los tres sonríe el Niño.

También los adultos debemos ofrecer nuestros obsequios al Señor; pero debemos hecerlo con corazón de niño. "Encontraron al niño con María, su madre, y postrándose le rindieron homenaje; luego abrieron sus cofres y le ofrecieron dones: oro, incienso y mirra" (Mt 2,11).

Por los caminos del Oriente llegan los tres Reyes Magos con su cofre reluciente, para traer los regalos.

Al trote de sus camellos salen de Jerusalén y marchan repartiendo por el mundo los juguetes del Niño de Belén.

Rey 1°:
Aquí me tienes, Señor, en tu presencia real;
me llaman el rey Melchor
por las tierras de Bagdad.
Te traigo el oro luciente, símbolo de caridad;
lo deposito en tus manos,
mientras beso el manto real.

Rey 2°:
Vengo de Arabia Feliz, tierra bendita por Vos,
que da perfumes al hombre
y da incienso para Dios.
Estoy rendido a tus pies,
Niño de extraña bondad,
que en tu corona de Rey brilla la divinidad.

Rey 3°:
Vengo al trote del camello por los campos de Etiopía; el amor sirvió de espuela y una estrella fue mi guía. Desde que salí de Jerusalén, he pensado en Ti, Niño de Belén.

"Vimos su estrella en Oriente y hemos venido a adorarlo" (Mt 2,2).

Enero 4

Señores reyes de Oriente,
no nos vayan a olvidar
y vengan posiblemente en tren, para no tardar.
Pueden seguir los destellos
de la estrella de Belén,
pero venirse en camellos,
hoy día no queda bien.

Quiero que sepan también, por si nunca lo han
notado,que hay un chico muy de bien,
pero muy pobre, aquí al lado.
Tal vez no tenga botines que poner en la ventana y haciendo tristes mohínes
se venga a vernos mañana.
Su madre cose y apenas le alcanza para vivir.
¡Los dos pasan unas penas!
¡Eso no puede seguir!

Ustedes, señores reyes,
que iban buscando al Dios Niño,
y lo hallaron entre bueyes
y le dieron su cariño,
acuérdense del de al lado,
que siempre nos ve jugar,
encogidito y callado, sin reírse, sin chistar.

"Y tú, Belén, tierra de Judá, ciertamente no eres la menor entre los principales ciudades de Judá; porque de ti surgirá un jefe, que será pastor de mi pueblo, Israel" (Mt 2,6).

—¿A quién tus ovejas conduces, pastor?
—Al Niño Divino, del cielo Señor.
—¿En cuna de oro le viste, quizá?
—Le vi en un pesebre, sobre el heno está.
  Transido de frío, sin ropas le vi,
  mas el buey y el asno le alientan allí.
  La Virgen María le canta y José,
  gozoso a sus plantas, postrado se ve.
—¿A quién, mi linda estrellita, anuncia tu luz?
—Mis rayos te llevan al Niño Jesús.
—¿Por qué en sus camellos los Magos se ven,
  cruzando desiertos? ¿Qué buscan? ¿A quién?
  ¿A quién lleva incienso el rey Baltasar?
  ¿A quién oro y mirra Melchor y Gaspar?
—Al Niño divino, que el astro anunció;
  sus rayos dijeron que en Belén nació.
  Los ángeles cantan; escucha y oirás:
  "Gloria en las alturas y en la tierra paz".

"**G**loria a Dios en las alturas y en la tierra paz a los hombres amados por Él" (Lc 2,14), *a los hombres destinatarios de la benevolencia divina* .

Enero 6

Dijo Mahatma Gandhi que el hombre no es más que el resultado de sus pensamientos; lo que él piensa es lo que llega a ser.

De ahí la importancia que tiene el cultivar buenos y rectos pensamientos; el que tú vayas formando tu conciencia día a día, con la reflexión seria de lo que eres y de lo que es la vida. De lo que eres en la vida y de lo que la vida debe ser para ti.

La idea siempre tiende al acto, nos afirma la filosofía; el hombre siente según lo que piensa y vive según lo que siente; porque si el hombre no vive según lo que piensa y siente, pronto pensará y sentirá según como vive.

Cultivar pensamientos serios, nobles, rectos, plenos de bondad, ha de ser tu principal cuidado; día tras día deberás oxigenar tu mente, purificar tu espíritu, limpiar tu conciencia, aclarar la vista de tu alma, rectificar la orientación de tu vida.

Para eso, nada mejor que un minuto para Dios, un minuto para ti, un minuto para la reflexión, para tu propia introspección.

"Los pensamientos tortuosos apartan de Dios, y el Poder, puesto a prueba, confunde a los insensatos. La sabiduría no entra en un alma que hace el mal, no habita en cuerpo sometido al pecado, porque el santo espíritu, que nos educa, huye de la falsedad, se aparta de los pensamientos insensatos y se siente rechazado cuando sobreviene la injusticia" (Sab 1,3-5).

Saber hablar y saber callar; no sabemos qué será más fácil o más difícil, más conveniente o más meritorio.

Callar de sí mismo es humildad; no hablar de sí, cuando siente uno el deseo de exponer los propios méritos o las propias ideas o iniciativas, es signo de verdadera humildad.

Callar los defectos ajenos es caridad; no criticar a los demás, sus actitudes, sus intenciones, sus actos; no emitir juicios comparativos; no hablar tanto de los otros, siempre con un dejo de crítica o pesimismo, es ciertamente caridad.

Callar a tiempo es prudencia; no hablar cuando nos sentimos con el impulso de la reacción, cuando nos viene a la punta de la lengua toda una serie de palabras, invectivas o denuestos, eso es prudencia.

Callar en el dolor es heroísmo; no tratar de volcar en los corazones de los demás las penas propias, los dolores íntimos; hacerles partícipes no tanto de los dolores, cuanto de las alegrías, reservándonos las penas, eso es heroísmo.

*L*os enemigos de Cristo lo acusan falsamente; pero *"Él permanecía en silencio y no respondía nada"* (Mc 14,61). *"El hombre inteligente sabe callar"* (Prov 11,12). *"Uno se calla y es tenido por sabio y el otro se hace odioso por hablar demasiado... El sabio guarda silencio hasta el momento oportuno, pero el fanfarrón y el necio no se fija en el momento"* (Eclo 20,5-8).

Enero 8

No es tan fácil confesarse a sí mismo que uno "no quiere" hacer las cosas; es mucho más fácil buscar una excusa que nos exima de los compromisos de nuestros deberes.

La excusa más fácil es decir "no puedo", y con esa excusa ya quedamos tranquilos; pero en nuestro interior sabemos muy bien que no es cierto que no podemos; y así tratamos de serenarnos, diciéndonos a nosotros mismos que "no sabemos cómo hacer"; y como esta segunda excusa tampoco llega a serenar nuestra conciencia, recién entonces apuntamos a la realización, con un tímido "creo que no puedo".

Quedan finalmente los tres últimos tramos antes de llegar a la realización de la obra, que son: "puedo, quiero, hago".

Créeme, si hicieras todo cuanto puedes, tú mismo quedarías asombrado de lo que puedes; pero ahora te dejo mi pregunta: y, si puedes mucho más de lo que estás haciendo, ¿no estarás obligado a hacerlo?

S i Cristo cuenta contigo, ¿puedes defraudarlo? No olvides que lo único santo que hay es la voluntad de Dios. Cuando Pablo es derribado del caballo por el Espíritu de Dios, responde: "¿Qué debo hacer, Señor?" (Hch 22,10). Acércate hoy mismo al Sagrario, pregúntale y escucha lo que Él te responde.

Yo no sé lo que vale mi vida,
pero a Cristo la quiero entregar;
yo bien sé que su amor me recibe,
y en sus manos la vengo a dejar.

"La esperanza es lo último que se pierde". ¡Cuántas veces has oído y quizá tú mismo has dicho esta frase!

Y no es que sea desacertada, sino que puede entenderse mal y, con ello, convertirse en un anestesiante de las fuerzas del espíritu.

Esperar y dejarse estar; esperar... y aguardar pasivamente; esperar... y dormirse; esperar... y engañarse... Todo esto son distintas formas de inacción, de pereza, de cobardía; son formas con las que cubrimos estados anímicos nuestros poco confesables para nuestra misma conciencia.

En cambio, trabajar con perseverancia, esforzarse con denuedo, pensar seriamente en orden a la acción, confiar en uno mismo y confiar en Dios, esperar en que nuestro esfuerzo personal triunfará y que para ello Dios nos ayudará, esto es verdaderamente "esperanza".

La esperanza no puede inhibir, no puede alienar; la esperanza suelta más bien las alas y empuja hacia la acción.

S i ponemos toda nuestra confianza en el Señor, es que contamos con su ayuda. "Dichoso el hombre que pone su confianza en el Señor" (Sal 40,5). "Sólo en Dios descansa mi alma; de Él me viene la esperanza; sólo Él es mi roca salvadora, mi baluarte: no vacilaré; mi salvación y mi gloria están en Dios, Él es mi roca firme" (Sal 62,6-8).

Enero 10

Un joven se quejó a Daniel Webster:

–Ya no hay oportunidad para los jóvenes; todos los puestos buenos están ocupados.

– Aún hay sitio en las cumbres– le respondió.

Si quieres detenerte en el llano, ciertamente seguirás siendo un hombre anónimo, de la masa, vulgar, sin proyección; pero, si te lanzas hacia la altura, si clavas tu mirada en la cumbre, si no te contentas con lo común, con ser como son los demás, sino que aspiras a ser como fueron los menos, llegarás a la perfección.

Por eso tienes que subir, siempre subir, esforzarte por ser mejor, cada día con un nuevo esfuerzo, con redoblado aliento, con más entusiasmo.

No olvides que en las cumbres se respira aire más puro, más oxigenado; que en las cumbres del propio renunciamiento es donde el hombre se va purificando y se va haciendo mejor; que las cumbres son el único lugar que habitan los santos.

La gracia, además de conciente, ha de ser creciente; no puedes contentarte con ser amigo de Dios; profundiza cada vez más en esa amistad. "Ya no los llamo servidores, porque el servidor ignora lo que hace su señor; yo los llamo amigos, porque les he dado a conocer todo lo que oí de mi Padre" (Jn 15,15).

Enero 11

Cuando vas por la ruta con tu coche a alta velocidad, vas con cierta tranquilidad si sabes que el coche responde bien.

Tu vida es eso: un coche lanzado a alta velocidad; debes conservar la calma y el dominio de tu vida; debes dominar siempre la situación en que te halles.

Cuando manejas tu coche, por más que éste te responda, si no eres dueño de tus nervios, si tus reflejos son tardíos, estarás al borde de la catástrofe.

Tu vida tendrá muchos encontronazos, si no eres dueño de ti mismo, si no dominas tus instintos, si no frenas tus impulsos. El dominio propio es el secreto de la vida; saber ir adonde se quiere, eso es control propio, eso es dominio, eso es mandar uno en la propia vida, eso es éxito.

¿Sabes dominarte? ¿Eres dueño de ti mismo? O, por el contrario, ¿te dominan tus pasiones, tus instintos, tus nervios? Cuidado, porque puede estar próximo a un accidente inesperado.

*P*ensar en Dios será un buen freno para tus impulsos; saber que Dios está contigo, te acompaña. "El que quiera venir detrás de mí, que renuncie a sí mismo, que cargue con su cruz y me siga" (Mt 16,24).

Enero 12

Si no con frecuencia, al menos de cuando en cuando te sorprendes a ti mismo después de una discusión, de una disputa, de una pelea con los tuyos, con los que más amas en la vida, o con los que te están rodeando a diario por motivos de trabajo, de vecindad, etcétera.

Y después del altercado, después de haberte dejado llevar por tu nerviosismo, ya sereno, comenzaste a recordar lo pasado y viste que ellos tenían razón, y no tú. Otras veces has visto con claridad que la razón era tuya, pero que fuiste bastante niño y terco en la defensa de tu razón.

Consecuencia: que en toda discusión, en todo encontronazo has salido perdiendo, que siempre toda pelea ha resultado negativa, que nunca sirvió para esclarecer la verdad, o para acercar los corazones; más bien los alejó, los agrió; con la razón de tu parte o en contra tuya, quedaste bastante lejos de los tuyos, amargado con los tuyos; ¿valía la pena, entonces, el altercado?

*E*l *Espíritu Santo nos aconseja: "Hijo mío, realiza tus obras con modestia y serás amado por los que agradan a Dios" (Eclo 3,17). "Está siempre dispuesto en escuchar y sé lento para responder" (Eclo 5,11). "Las palabras traen gloria y deshonor, y la lengua del hombre puede provocar su caída" (Eclo 5,13). Será, pues, muy prudente pensar antes de hablar, pensar si tenemos que hablar o callar y pensar cómo debemos hablar.*

Enero 13

Todos consideramos como una verdadera alabanza el que digan de nosotros que tenemos mucha personalidad.

Ahora bien, la propia personalidad no se forma sino con el dominio de sí mismo, con el acero de la voluntad, que sabe negarse muchas cosas y ser fiel a otras. No traicionar la propia conciencia, que es lo mismo que no traicionar a Dios.

Por el contrario, se considera como un insulto que nos digan que somos "cobardes"; pero resulta que, para adquirir una personalidad propia, es imprescindible el valor; el valor que sepa decir sí cuando hay que decirlo, pero no titubee en decir no cuando no se pueda decir sí.

Ser valiente, ser cobarde; tener personalidad, no tenerla.

Es la voluntad la que deberá regirnos; pero esa voluntad debe ser iluminada por el entendimiento y por la gracia del Señor; deberemos pedir esa luz y esa fuerza y con ellas lanzarnos a las cumbres sin titubeos, sin miedos, sin angustias de ninguna clase.

S i tenemos conciencia de que somos hijos de Dios, esa conciencia deberá regir todos nuestros actos. "El bautismo por el que ahora ustedes son salvados, el cual no consiste en la supresión de una mancha corporal, sino que es el compromiso con Dios de una buena conciencia por medio de la resurrección de Jesucristo" (1 Pe 3,21).

Enero 14

¿Cuántos millones de pesos cuesta controlar una nave espacial? No tortures tu cabeza; no es mi intención que me respondas con exactitud matemática; es mi intención que respondas o, mejor aún, que te respondas a ti mismo esta otra pregunta: y, ¿cuántos millones de pesos cuesta el controlar a un ser humano, el que una persona se controle a sí misma?

Ser hombre no es manejar palancas o apretar botones; ser hombre es saber usar rectamente las facultades humanas, orientarlas para el bien; serás más plenamente humano, cuanto mejor orientes para el bien todas tus facultades humanas; tanto menos lo serás, cuando esas facultades estén dirigidas al mal.

Puedes decirme ya: ¿te sientes íntegro, muy íntegro, o acaso deberás confesarte humilde, pero sinceramente que estás siendo cada vez menos humano?

¡Cuidado! Dios te creó para que seas humano, plenamente humano, íntegro, y trates de llegar a ser perfecto en tu humanidad.

*D*eberás esforzarte por ser cristiano; pero es que no llegarás a serlo si antes no eres una persona cabal en el amplio sentido de la palabra.

"¿Qué es el hombre, para que te acuerdes de él? ¿O el ser humano para que te ocupes de él? Lo hiciste por un poco inferior a los ángeles, y lo coronaste de gloria y esplendor" (Heb 2,6). "Que el hombre de Dios sea perfecto y esté preparado para hacer siempre el bien" (2 Tim 3,17).

El dolor tiene su aspecto amargo, pero también lo tiene dulce; todo dependerá del lado que nosotros miremos.

Es duro trabajar muchos días sembrando la semilla y cuidándola; pero es agradable recoger la cosecha; es duro pasar horas estudiando, pero es agradable recibir el título y la aprobación; es duro realizar esfuerzos y más esfuerzos para construir la casa, pero es agradable poseer luego su propio hogar; es duro realizar cualquier esfuerzo, pero es luego muy agradable gozar del fruto de los esfuerzos realizados.

Para llegar a ser bueno de veras, hay que hacer también grandes esfuerzos, conseguir duras victorias, pero luego podemos gozar de la alegría de llegar a ser lo que debemos ser. No nos desalienten los esfuerzos que hay que realizar; aliéntennos más bien los resultados conseguidos por esos esfuerzos.

D ios permitirá éxitos y fracasos; pero no nos pide ni unos ni otros; Dios solamente nos pide nuestra acción apostólica; lo demás corre por su cuenta. "Ni el que planta ni el que riega es algo, sino Dios que hace crecer" (1 Cor 3,7).

Enero 16

Las dificultades están hechas para superarlas y no para dejarse superar por ellas; porque en la vida, quieras o no quieras, siempre te encontrarás con dificultades.

No temas los golpes de la dificultad; a veces son duros, son crueles, pero el atleta no se hace entre sábanas, sino en las pistas; el sabio no resulta de las diversiones, sino de los estudios; el santo no es fruto de contemplaciones, sino de vencimientos; el hombre no se hace entre blanduras, sino bregando con la dificultad.

Los espartanos con frecuencia trataban con severidad a sus hijos para hacerlos fuertes y resistentes; así llegaron a ser aquel esforzado pueblo indomable. A costa de sacrificios te harás hombre y llegarás a ser santo.

Tu palanca será la oración, pero también el sacrificio, que te moverá a negarte muchas cosas, y eso por amor; por amor a Dios y por amor a los hermanos. "Sin efusión de sangre, no hay remisión de los pecados" (Heb 9,22). Sin la muerte de Cristo no hubiéramos nosotros gozado de la Vida, y sin tu própia entrega, sin tu palabra de sacrificio, algunos de tus hermanos no recibirán la gracia. La cruz no pesa cuando estamos de colores; los colores de la gracia no sólo dan hermosura, sino sobre todo fuerza.

Tan cierto es que somos hijos de nuestro pasado, como que somos padres de nuestro futuro; pero no es menos cierto que nos conviene mucho más mirar y recordar y tener presente que somos más padres de nuestro futuro, que hijos de nuestro pasado.

El pasado ha de recordarse como experiencia de la vida, como enseñanza para nuestro porvenir, como lección de nuestra historia. Pero nunca será positivo recordar el pasado, si se hace para desalentarse, para ser pesimista, para perder fuerzas y entusiasmo.

El pasado ya no es nuestro; pasó, y pasó sin remedio y sin posibilidad de modificación: tal como fue, así seguirá siendo. El futuro no sabemos si será nuestro y ciertamente no es nuestro todavía. El presente es el que está en nuestras manos, es el que podemos hacer que sea de ésta o de la otra forma; y el presente es el que puede modificar nuestro futuro.

Vive el presente, pero fija la mente en el futuro.

*E*stá en tus manos construir un nuevo mundo y lo harás si tú te transformas en un hombre nuevo; es la gracia la que realizará en ti esa transformación. "Si fueron enseñados según la verdad que reside en Jesús, de él aprendieron que es preciso renunciar a la vida que llevaban, despojándose del hombre viejo... renovándose en lo más íntimo y revestirse del Hombre nuevo" (Ef 4,21-24).

Enero 18

Cuando nacemos, no somos todavía del todo hombres, al menos no somos los hombres que debemos ser, que luego llegaremos a ser.

Tenemos dos nacimientos. ¿Cuándo es nuestro segundo nacimiento? Cuando llegamos a tomar conciencia, no de lo que somos, sino de lo que debemos llegar a ser; no de lo que deseamos, sino de lo que debemos desear llegar a ser.

Al fin y al cabo, el hombre se hace a medida que va haciendo, que se va esforzando por ser lo que debe ser; si el joven es el producto del niño, el hombre es el producto del joven; en ese sentido el niño es el padre del hombre.

No nos hacemos viejos cuando ya hemos vivido cierto número de años, sino cuando vamos perdiendo el entusiasmo de nuestro ideal.

Santos llegaron a ser, no los que comenzaron, sino los que continuaron y continuaron continuando; los que nunca se cansaron de continuar.

De poco te servirá entregarte al servicio de Dios si no perseveras en él, si te encuentras con Cristo, pero luego te alejas de Él. El encuentro ha de ser definitivo, para ya nunca volverse a separar. "El que pone la mano en el arado y mira hacia atrás no sirve para el Reino de los Dios" (Lc 9,62).

Indudablemente, todos debemos morir, pero no todos morimos igual.

Tú has de vivir de tal forma que, cuando tú mueras, lloren los demás y tú puedas reír; triste y trágico sería que, al morir tú, las lágrimas fueran tuyas y las alegrías ajenas.

La nobleza de la vida no está ni en el nacer, ni en el morir, sino en el vivir, en el modo de vivir y en el para qué morir. El índice de nuestra vida no lo da el vivir, sino el sentido que sabemos darle a nuestra vida. Por eso en la vida no tienes que hacer lo que te agrada, sino lo que más tarde te agradará haber hecho.

"Yo quisiera", nada hizo; "intentaré", ha hecho grandes cosas; "quiero", hizo milagros. La vida es lucha, pero la lucha es vida. La vida sólo decepciona a quienes no esperan bastante de ella.

*E*l verdadero sentido de la vida es "la Vida de la gracia". Lo explica bien San Juan, cuando dice: "Esta es la Vida eterna: que te conozcan a ti, el único Dios verdadero, y a tu enviado Jesucristo" (Jn 17,3).

"En la senda de la justicia están la paz y la unidad" (Prov 12,28).

"Quien a Dios tiene —dice Teresa de Jesús—, nada le falta"; nosotros repetimos que nada nos asusta estando con Cristo.

Enero 20

Tener un ideal es el único medio de hacer algo y de llegar a ser alguien; no se comprende lo que vale la vida, hasta que no se pone al servicio de un ideal; porque "la vida es triste si no se la vive con una ilusión".

Es hora de que pienses sobre el por qué de tu existir.

Cuando alguien sabe adónde va, el mundo entero se aparta para darle paso. Cada soldado, dijo Napoleón, lleva en su mochila el bastón de mariscal; lo que hace falta es tener voluntad de vencer.

Cada ser humano lleva en su interior la imagen de un héroe y de un santo; lo que hace falta es que día a día y golpe tras golpe, vaya cincelando esa imagen, pues el hombre no se improvisa, y el héroe y el santo menos; y los éxitos acompañan más a los constantes que a los fuertes.

*Y*a sabes que el ideal del bautizado no puede ser otro que vivir lo "fundamental cristiano", la Vida de la gracia. Para esto has sido bautizado y en esto vivirás tu bautismo. "En el bautismo ustedes fueron sepultados con Él , y con Él resucitaron por la fe en el poder de Dios" (Col 2,12). "Vine para que tengan Vida y la tengan en abundancia" (Jn 10,10).

Querer sin que cueste es propio de muchos; querer aunque cueste es sólo de los selectos; querer porque cuesta, es de héroes.

Un hombre no es verdaderamente hombre sino cuando ya aprendió a superarse cada día. Podría ponerse como lema: "Hoy más que ayer, y menos que mañana".

Nada se hace en la vida sin sacrificio, sin esfuerzo; querer llegar a ser héroe, a ser santo sin esfuerzo, es querer un imposible.

Al acero hay que templarlo, al oro hay que purificarlo en el crisol; al hombre hay que fortificarlo con el sacrificio; el sabio no llega a serlo sin prolongados estudios y el santo no alcanzará la santidad sino después de numerosos vencimientos.

No te desalientes si todavía no te sientes tan perfecto como tú quisieras; lo único que tienes que hacer es seguir con tu empeño, duplicar tu esfuerzo y tener fe: la victoria llegará.

S i confías en ti, es seguro tu fracaso; si confías en Cristo, es seguro tu éxito; no por ti, sino por Él. "¡Tengan valor! Yo he vencido al mundo" (Jn 16,33). "No te dejes vencer por el mal, por el contrario vence al mal, haciendo el bien" (Rom 12,21). "Al vencedor le daré a comer el árbol de la vida... le daré el maná escondido..." (Ap 2,7-17).

Enero 22

No basta no ser malo; es preciso también no parecer malo; pues si pareces malo, aunque no lo seas, te haces mal a ti mismo y haces mal a los demás.

La bondad ha de ser antes que nada interna, de corazón, de verdad, auténtica: has de ser bueno ante tu conciencia y ante Dios.

Pero la bondad requiere ser expresada, visibilizada, manifestada, a fin de que todos los demás se sientan animados también a ser buenos y, siendo todos buenos, hagamos al mundo mejor de lo que es.

Pero la bondad de corazón no aparecerá en rostros tristes, alargados, ceñudos, en actitudes de rechazo, en palabras violentas, en negociaciones sin sentido; eso no es "aparecer" bueno, y te vuelvo a repetir que no basta ser bueno, sino que es preciso también demostrarlo.

Parecer bueno y no serlo, es hipocresía; serlo y no manifestarlo, es falsedad.

Cristo nos exige una perfección real y no aparente; no admite en nosotros ninguna falsedad; nos quiere auténticos cristianos y nos propone este lema: "Sean perfectos como es perfecto el Padre que está en el cielo" (Mt 5,48). Y el apóstol Pablo ordena: "Sé tú mismo ejemplo de buena conducta" (Tit 2,7). Tienes que ser otro Cristo, de suerte que el que te vea a ti, vea a Cristo en ti.

Deberás esforzarte por ser valiente y por ser virtuoso; pero de poco te servirá ser una y otra cosa si no eres prudente.

Es que la prudencia rige los actos de todo el hombre, de toda la vida y todas las demás virtudes del hombre dejan de serlo, no bien dejen de ser regidas por la prudencia.

La valentía sin prudencia se convertirá en arrogancia; la virtud sin prudencia será ostentación, cuando no presunción.

La prudencia no reconoce excesos, no se extralimita nunca; sabe del justo equilibrio en todas las cosas y en todos los momentos.

Pero, ¡cuidado!, no confundas prudencia con timidez, con miedo, con no querer arriesgarse, porque entonces habrás caído en la cobardía y en ninguna parte habrás leído que la cobardía sea una virtud; como la prudencia nos aleja de la arrogancia, también nos aparta de la cobardía.

*E*l *apóstol ha de ser prudente, pero nunca tímido; con la prudencia de espíritu y no con la de la carne. "Los deseos de la carne conducen a la muerte: pero los del espíritu a la vida y la paz... Si viven según la carne morirán, pero si por el Espíritu hacen morir las obras de la carne, vivirán" (Rom 8,6-13).*

Enero 24

De pocas cosas nos solemos quejar tanto, en nuestros tiempos, como de la ausencia de la paz; pocas cosas necesitamos tanto como la paz.

El pacífico siempre está en paz y siempre contagia paz; viene, pues, la reflexión: si todos estamos ansiando la paz, ¿no será que ninguno de nosotros es verdaderamente pacífico?

Porque si lo fuéramos, no solamente gozaríamos nosotros de la paz, sino que seríamos sembradores de la paz, productores de la paz, implantadores de la paz, dondequiera que actuemos: en el hogar, en el trabajo, en la oficina, en el ambiente, en el vecindario... en todas partes.

¡Al pacífico nunca le falta paz! ¡Qué hermosa reflexión para que cada uno de nosotros nos autoanalicemos y descubramos nuestra responsabilidad personal en la construcción de la paz en el hogar!

El cristiano es un sembrador de la paz; de la paz que tiene consigo mismo, al estar en paz con Dios. "Bienaventurados los que buscan la paz, porque ellos serán llamados hijos de Dios" (Mt 5,9). Los ángeles cantaron la paz en el nacimiento de Cristo; es que el Dios del Evangelio es el Dios de la paz.

Dios te ha hecho completo: te ha dado cabeza, manos y corazón; la cabeza para pensar, las manos para obrar, el corazón para sentir.

Necesitas de las tres cosas; no pretendas desprenderte de ninguna de ellas, pues quedarías incompleto, imperfecto: no serías hombre.

No puedes prescindir de la cabeza, pues entonces tus obras serían imprudentes y podrían llevarte al fracaso; no puedes prescindir de las obras, pues, de lo contrario, tus pensamientos quedarían estériles e infecundos; no puedes olvidarte del corazón, pues tus pensamientos y tus obras resultarían muy fríos y por lo mismo no serían humanos.

Ni cabeza sin manos y sin corazón; ni manos sin pensamientos y sin corazón; ni corazón sin ideas y obras. La cabeza, para pensar; las manos, para obrar; el corazón, para sentir.

Y pensando, obrando y sintiendo llegarás a ser plenamente humano.

D ios como centro de nuestro pensamiento, obras y deseos; así nos iremos despojando de nuestro propio yo, para dejarnos llenar y absorber por Dios mismo. "Mejor es refugiarse en el Señor, que fiarse de los hombres" (Sal 118,8). "Líbrame, Señor, de la gente malvada, protégeme de los hombres violentos" (Sal 140,2).

Enero 26

¡El hombre por el hombre! Grito del humanismo absoluto, que pretende concebir al hombre prescindiendo de Dios.

Así como no podemos ir a Dios sin pensar en el hombre, tampoco nos es posible ir al hombre sin ver su proyección hacia Dios.

Hay entre ambos (Dios y el hombre, el hombre y Dios) una intercomunicación e interrelación que es imposible borrar o siquiera olvidar.

Por eso, cuántas heridas nos hacemos los unos a los otros cuando pretendemos herir a Dios; y cuántas heridas hacemos a Dios cuando nos herimos los unos a los otros.

Él no nos permitió herirnos; más bien, nos convocó a amarnos los unos a los otros; en cambio, el hombre aparece haciendo esfuerzos inauditos por cambiar su precepto por el de "ármense los unos contra los otros" y por eso las cosas van como van.

*S*abe el cristiano que sólo con el amor se perfeccionará, aun como hombre; nada debe tener tan presente como el precepto del Maestro: "Les doy un mandamiento nuevo: ámense los unos a los otros; así como yo los he amado, amense también ustedes los unos a los otros. En esto todos conocerán que son mis discípulos: en el amor que se tengan los unos a los otros." (Jn 13,34-35).

Todos anhelamos la alegría, una verdadera alegría, pero no siempre la conseguimos.

Si quieres estar triste, piensa solamente en ti; si quieres estar alegre, piensa en Dios. Al pensar en ti, encontrarás sobrados motivos para la tristeza, porque tú te sientes limitado, y débil; en cambio, al pensar en Dios, encontrarás buenas razones para alegrar tu espíritu, ya que Dios es bondad y amor, y la bondad y el amor no pueden menos que producir una sana alegría.

El que está lejos de Dios, el que vive lejos de Dios o prescindiendo de Dios, está alejado de la fuente de la alegría y de la paz; en cambio, el que vive en Él y con Él, queda absorbido por la paz del Señor, que colma sus deseos de felicidad.

Y entonces es cuando uno descubre que la vida merece vivirse; y que uno puede tener paz, aun en los fracasos y en las propias deficiencias.

*N*adie tiene tantos motivos para vivir hondamente feliz como el cristiano. "El que beba del agua que yo le daré, nunca más volverá a tener sed; el agua que yo le daré se convertirá en él en manantial que brotará hasta la vida eterna" (Jn 4,14).

Enero 28

Todos nos sentimos inclinados a aconsejar a los otros; y ciertamente lo solemos hacer bastante bien; hasta somos bastante acertados en los consejos que damos a los demás.

Si nos resolviéramos de una vez por todas a practicar lo que aconsejamos a los otros, pronto seríamos perfectos, pronto llegaríamos a la santidad.

Pero es que somos muy hábiles para aconsejar a los demás y no menos hábiles para evadirnos de los consejos que nosotros mismos damos; vemos con mucha lucidez lo que los otros deben hacer, y somos bastante miopes para reconocer nuestras obligaciones personales.

Y, si al menos fuéramos como deseamos, como pedimos, como exigimos y como aconsejamos que sean los demás, muy pronto nos veríamos libres de la mayoría de nuestros defectos.

No debemos juzgar, si no queremos ser juzgados: ¿quién nos ha dado autoridad para juzgar? Sólo el Señor es el que conoce el fondo de los corazones. "¿Por qué te fijas en la paja que está en el ojo de tu hermano y no adviertes en la viga que hay en el tuyo?" (Mt 7,3). Quisiéramos que todos estuvieran abiertos a la gracia, porque con la gracia nos hace vivir como hermanos.

Todo tiene su razón de ser en el mundo: el frío del invierno y el calor del verano, la fuerza del viento y la calma de la atmósfera, la luz y las sombras...

Tú también tienes una razón de ser en la vida; tu vida tiene una misión, que ha de ser cumplida por ti y sólo por ti, porque esa misión es personal e inalienable.

Todo tu empeño debe consistir en llegar a conocer cuál es esa tu misión, cuál es la razón de ser de tu vida; Dios tiene sobre ti unos planes, que debes realizar tú; si no llegas a conocer esos planes, no los podrás cumplir; pero, si los conoces, debes dedicarte plenamente a su realización y entonces verás que tu vida es plena y que has descubierto el verdadero sentido de la misma.

Busca, pues, los planes de Dios sobre ti, para que puedas cumplirlos.

Dios te ha señalado una misión que cumplir y esa misión es personal e intransferible; si tú no la cumples, quedará sin cumplir y en ti se frustrarán los planes de Dios; pero ¿por culpa de quién? "Que cada uno permanezca tal como lo encontró la llamada de Dios" (1 Cor 7,20). "Los exhorto a comportarse de una manera digna de la vocación que han recibido" (Ef 4,1).

Enero 30

Nada dura mucho, si tiene fin. Nada es absoluto, si tiene límites.

Los días de dolor pareciera no tener fin; las noches de insomnio, los días de duro trajinar, la enfermedad molesta y dolorosa, el problema angustioso, la pena que se aferra al espíritu con garra lacerante... todo parece que durará siempre, que nunca acabará.

Sin embargo, todo pasa, todo perece, todo termina, todo desaparece y todo se olvida; por eso decimos que nada dura mucho si tiene fin, pues una vez llegado a ese fin, ya no se puede hablar de mucho: ya estamos en la nada.

En cambio, el Absoluto, el que no tiene ni principio ni fin, el que es eterno e inmutable: Dios, es el que nunca pasa, el que por lo mismo no sólo es mucho, sino que es Todo.

Por eso en tu vida Dios no puede ocupar un segundo lugar; nada puede haber superior a Dios; ni tampoco puede ocupar un "primer" lugar, sino que ha de ocupar "todo" lugar. "Yo soy el alfa y la omega, dice el Señor Dios. El que es, el que era y el que viene, el Todopoderoso" (Ap 1,8).

Hay una vida alegre; una vida en la que todo sale bien y en la que gozamos de todos y de todo.

Una vida llena de optimismo, de éxitos, de nuevos planes que se llevan a cabo; una vida de ilusiones realizadas; una vida de paz y de comprensión con los propios y los ajenos.

Y hay también una vida de dolor; una vida en la que la enfermedad muerde nuestras cuerpos; una vida en la que la enfermedad de algunos de los nuestros aprieta nuestro corazón; una vida de dificultades y de fracasos, de pobreza y de falta de trabajo, de incomprensiones y dificultades, de lágrimas y angustias, de sentida soledad.

Pero también puede haber una vida que sea la suma de las dos anteriores, vale decir: una vida que no sea solamente de alegría o de dolor, sino que llegue a ser de alegría en el dolor; la alegría y el dolor probablemente no dependen de tu deseo, pero el hacer de tu vida una vida de alegría en el dolor dependerá exclusivamente de ti.

*P*ero eso no lo lograrás si no miras el dolor en la cruz; la cruz sin Cristo se torna insoportable; el Cristo en la cruz la hace llevadera. "Estoy crucificado con Cristo, y ya no vivo yo, sino que Cristo vive en mí" (Gal 2,19-20). "Yo sólo me gloriaré en la cruz de nuestro Señor Jesucristo, por quien el mundo está crucificado para mí, como yo lo estoy para el mundo" (Gal 6,14).

FEBRERO

Crea en mí,
Dios mío,
un corazón puro
y renueva
la firmeza de mi espíritu.

Salmo 51,12

Ya iniciamos el segundo mes del año; los días ya se van pasando y el tiempo con ellos y la vida con él.

La gente vulgar sólo piensa en pasar el tiempo; la gente de talento piensa más bien en aprovecharlo; porque, entre el pasado que ya no es y el futuro que aún no es, está el presente en el que residen nuestros deberes y que está bajo nuestra responsabilidad.

Una cosa es perder el tiempo y otra es emplearlo; el poeta lo dijo con acierto:

> "Y continuo se te acuerde
> de que el tiempo bien gastado,
> aunque parezca pasado,
> ni se pasa, ni se pierde".

¿Quién será el que pierde el tiempo? El que lo pasa sin ser útil ni para Dios ni para el prójimo.

A veces nos preguntamos qué día habrá sido el más feliz de nuestra vida; no es difícil responder: cada día es el más feliz, porque cada día se nos presenta la oportunidad de emplearlo mejor en el servicio de Dios y de los prójimos, y en ese servicio precisamente radica nuestra felicidad y la de los demás.

La causa de la alegría será la práctica del bien; tu acción en ti mismo, el esfuerzo por mejorarte; tu acción apostólica, que intenta hacer el bien en los demás; ojalá imites al Maestro, del que se pudo afirmar: "Pasó haciendo el bien" (Hch 7,38). ¿Se podría decir lo mismo de ti?

Febrero 2

A veces las noticias más insignificantes llevan consigo una importante enseñanza; no hace mucho, una pareja de equilibristas, integrantes de un circo italiano, decidieron casarse en la jaula de los leones.

La noticia podría parecer intrascendente, pero da pie a esta reflexión: muy pocas serán las parejas que se hayan casado en una jaula de leones; pero son muchas las que llevaron los leones al hogar después de casados.

Porque leones -y de los más bravos- son los enfrentamientos, las peleas, las discusiones violentas, las reacciones fuera de lugar; todo esto es algo así como los dientes desgarrantes de los leones, que sin piedad destruyen y matan la armonía del hogar.

¿Por qué no miras si en tu hogar hay ambiente propicio para leones o para mansos corderos? Indudablemente, no es tan agradable escuchar los rugidos, como las notas del *Ave María* de Schubert.

Has de vivir tu bautismo allí donde el Señor te puso; si te ha dado la vocación al matrimonio, allí es donde debes vivir tu fe y tu gracia. "Sométanse los unos a los otros por consideración a Cristo. Las mujeres deben respetar a sus maridos como al Señor, porque el marido es cabeza de la mujer, como Cristo es cabeza y el salvador de la Iglesia, que es su Cuerpo" (Ef 5,21).

"¡Hombre de palabra!" Suele ser una de las mejores alabanzas que se pueden decir de una persona; y ¡cómo duele la infidelidad, cómo nos llega al alma comprobar que tal o cual persona nos ha fallado!

Porque el hombre falla y con frecuencia; en cambio, Dios no falla nunca: siempre cumple lo que dice, su Palabra es la Verdad.

Sin embargo, aunque Dios no falla nunca y el hombre sí falla, es preciso conservar la fe en Dios y la fe en los hombres; la fe en los hombres nos puede facilitar la fe en Dios y la fe en Dios nos va a pedir la fe en los hombres.

La fe no se fija en que el hombre pueda o no fallar; la fe se fija más bien en el corazón y nosotros debemos pensar que todos son buenos; de esta forma nuestra fe en los hombres, si no los encuentra buenos, los hará buenos y, en cambio, la fe en Dios nos hará buenos a nosotros.

*E*n el bautismo fuiste consagrado como posesión, cosa exclusiva de Dios; ese Dios "cuenta contigo"; le has dado tu palabra; Él espera que la cumplas, que seas fiel a ella. Estás seguro de que Él cumplirá con la suya, pues "el cielo y la tierra pasarán, pero mis palabras no pasarán" (Mc 13,31). Es de una profunda tranquilidad tener la seguridad de que las promesas del Señor se cumplirán.

Febrero 4

No es posible que todos te acepten; mientras unos aplaudirán nuestras obras, otros las rechazarán. Si eres bueno, los que no lo son te rechazarán; y si eres como ellos, te rechazará Dios; si eres justo, serás perseguido por los injustos; pero si eres injusto, los justos sufrirán por ti. Si te muestras soberbio y altivo, los humildes no podrán aplaudirte; aunque, si eres humilde, te verás despreciado por los soberbios. Si te preocupas por los demás, los egoístas se reirán de ti y te tildarán de loco y, si dejas que el egoísmo invada tu vida, los que sufren esperarán tu ayuda inútilmente.

Debes elegir lo que prefieres para tu vida: ser aceptado por los malos, por los soberbios y egoístas, o ser como los buenos, como los humildes, como los que se sacrifican por los demás.

Y en último término, así estas eligiendo si quieres ser rechazado por Dios, o ser aceptado por Él.

N i a Cristo mismo lo aceptaron todos; y como los discípulos no pueden ser de distinta condición que el Maestro, los cristianos debemos estar dispuestos a ser rechazados por el mundo y los mundanos. "Serán odiados por todos a causa de mi Nombre; pero ni siquiera un cabello se les caerá de la cabeza. Gracias a la constancia salvarán sus vidas" (Lc 21,17-19).

Nunca digas: "Lo que está perdido, perdido está".

Es mucho más constructivo que pienses y digas que lo que está perdido, tú lo puedes encontrar, y lo que está caído tú lo puedes levantar.

Y esto, tanto en ti como en los demás:

—en ti, pues hallarás en tu vida buenas costumbres perdidas, buenos hábitos olvidados, santos propósitos descuidados, resoluciones no cumplidas; todo eso puedes y debes recordarlo, encontrarlo, cumplirlo;

—y en los demás, porque también en ellos podrás notar descuidos, hijos no tanto de la mala voluntad cuanto de la humana debilidad, y tú puedes y debes ayudarlos a mejorar.

Aunque todo esto deberás hacerlo: en los demás, con tacto y caridad, y en ti con firmeza y con constancia.

*D*esesperar de la bondad de Dios puede ser el mayor pecado que cometemos y, si esperas en Dios con sinceridad, todo puede llegar a conseguirse. "El Padre que está en el cielo no quiere que se pierda ni uno de estos pequeños" (Mt 18,14). "El Hijo del hombre ha venido a buscar y salvar lo que estaba perdido" (Lc 19,10).

Febrero 6

Por poco que nos examinemos a nosotros mismos, fácilmente descubriremos que todos pretendemos cambiar y mejorar a los demás; todos pensamos que el mundo iría mejor si los demás cambiaran.

Y lo que se dice del mundo, hay que afirmarlo en concreto del propio hogar, de la esposa, de los hijos, de los amigos, de los dependientes, de los jefes o amos, del gobierno... Siempre son "los otros" los que deben cambiar.

Y no nos convencemos de que, en tanto no cambiemos nosotros y mejoremos, es inútil que intentemos cambiar y mejorar a los demás; el mundo, el hogar, el ambiente cambiarán si cambiamos y mejoramos nosotros.

Y por ello, nada mejor que acercarnos a Dios: cuanto más cerca de Él estemos, más mejoraremos.

Debemos detectar los ambientes más necesitados de cambio y superación; es imprescindible que nosotros "pisemos fuerte en la vida", a fin de infundir seguridad en los demás. Para ello deberemos injertarnos en Cristo, como el sarmiento en la vid. "Permanezcan en mí como yo permanezco en ustedes. Lo mismo que el sarmiento no puede dar fruto si no permanece en la vid, tampoco ustedes, si no permanecen en mí" (Jn 15,4-7).

Vive de tal forma, que Dios esté contento de ti, que Dios pueda aprobar todos tus actos; pero vive también de tal forma que los demás puedan sentirse con deseos de imitarte, que sientas en tu interior las ansias de la propia superación.

Es verdad que no debes realizar el bien sólo porque te vean; pero no es menos cierto que estás obligado a ser ejemplo para cuantos te rodean.

Teresita González, muerta a los veintiún años en un convento de Carmelitas, se había propuesto un lema para su vida: "Señor, que quien me mire, te vea".

Que a cuantos te miren a ti no les quede otro remedio que ver a Dios en ti.

Que quienes te oigan, quienes observen tu manera de proceder, quienes presencien tus reacciones, se sientan impelidos a ver a Dios, a oír a Dios, a sentir a Dios.

Cristo te dice que tú eres la luz; debes ser la luz puesta sobre el candelero, y no escondida bajo la mesa, a fin de que puedas iluminar a cuantos te rodean. "Así debe brillar ante los ojos de los hombres la luz que hay en ustedes, para que vean sus buenas obras y glorifiquen al Padre que está en el cielo" (Mt 5,16).

Febrero 8

La unión hace la fuerza; pero cuando esa unión no es de fuerzas físicas sino de corazones, entonces es mucho más positiva.

Cristo ha predicado la unión de todos en un mismo Padre, que es Dios: la unidad de todos los hombres, cualesquiera sean sus ideologías, sus costumbres, sus nacionalidades, sus culturas...

Es preciso que esa unidad cristiana pase cuanto antes de vago y vaporoso deseo nostálgico a gozosa realidad; es preciso que los cristianos no nos contentemos con no atacarnos, sino que lleguemos a abrazarnos de corazón.

Pero esa unidad no vendrá si primero no quemamos en las llamas del amor todo el odio, el rencor, las rencillas y las divisiones que nos están separando y amargando. Si no es por el olvido, el perdón y el amor, nunca llegaremos a la unidad cristiana.

Es preciso que nos fijemos más en la meta hacia la que todos vamos, que es Dios, y menos en los caminos por los que vamos a la meta.

*L*a gran petición de Cristo al Padre fue la unión de sus discípulos. *"Padre, cuida en tu Nombre a los que me diste, para que sean uno como nosotros; que todos sean uno, como tú, Padre, estás en mí y yo en ti; que ellos también sean uno en nosotros, para que el mundo crea que tú me enviaste"* (Jn 17,11-21). *¿Eres tú causa de unión o de desunión?*

Si todos los hombres debemos estar unidos, más aún los cristianos; pero *unión* no quiera decir "uniformidad".

Debemos aprender a vivir pacíficamente con los que creen ser tan fieles como nosotros al mensaje esencial de Cristo y su Iglesia.

Debemos saber vivir fraternalmente con los que defienden otros puntos de vista y otras opciones, distintas de las nuestras en el civil y aun en la interpretación del mensaje del Señor.

La unión de los cristianos tiene que ser unión de corazones y de espíritus. Ya que no nos podemos unir con la inteligencia, porque cada uno piensa a su manera, al menos que nos una el corazón, el amor a Dios y el amor a los hermanos.

Por otra parte, no olvidemos que, sin ese amor, es imposible llegar a la verdad; sin el amor se podrá estar en la verdad filosófica, porque ésta es meramente conceptual, pero no en la verdad cristiana, que es esencialmente vida, y la vida es amor.

San Agustín propuso la norma de vida con aquella su afirmación: "En lo necesario, unidad; en lo contingente, libertad; en todo, caridad".

"*En el nombre de nuestro Señor Jesucristo, los exhorto, hermanos, a que se pongan de acuerdo: que no haya entre ustedes divisiones y vivan en armonía unidos en un mismo pensar y en un mismo sentir*" (1 Cor 1,10).

Febrero 10

Seguramente hoy habrás almorzado y habrás cenado y, al levantarte de la mesa, los tuyos te habrán deseado ¡buen provecho! Pero, ¿has pensado que a muchísimos hombres, hermanos tuyos, en el día de hoy no se les ha podido desear buen provecho, por la sencilla razón de que no han almorzado ni han cenado?

Decirles a ellos "¡buen provecho!" sonaría a sarcasmo, porque pertenecen al desnutrido ejército de los hambrientos. Es triste constatar que nuestra sociedad gasta más millones en armas para la muerte que en alimentos para la vida.

No le echemos la culpa a Dios; no pensemos en disminuir el número de los invitados a la mesa de la vida; Dios ha dotado a nuestro planeta de medios más que suficientes para hacer desaparecer el hambre; somos nosotros los egoístas con los hermanos más necesitados y, cuando se nos pide una ayuda o limosna, todavía la negamos o, si la damos, lo hacemos con un dejo de autosuficiencia, cuando no haciendo alarde de nuestra generosidad.

La proyección de tu fe y de tu bautismo hacia el compromiso en la sociedad no puede ser olvidada o descuidada por ningún motivo; y esto no sólo por caridad, sino por justicia; el vaso de agua dado al sediento por caridad es algo ofrecido a Dios, porque "cada vez que lo hicieron al más pequeño de mis hermanos, lo hicieron conmigo" (Mt 25,40).

Con bastante frecuencia encontramos en el calendario algún día denominado "día del padre", de "la madre", del "maestro", del "abuelo", del "empleado" y cien más...

Y eso está muy bien, porque con ello pretendemos demostrar el amor que tenemos a esas personas y la admiración y el reconocimiento por sus servicios y sus funciones, tanto en el ámbito del hogar, como en el de la sociedad.

Pero, ¿pensaste alguna vez que hay Alguien al que debemos dedicar también un día?: Nuestro Padre Dios.

Porque Él también tiene muchas, muchísimas razones para reclamar nuestra gratitud y nuestro amor.

Y si en el día de la madre, del padre... les decimos "Te quiero, te amo", ¿por qué no decírselo también al Señor con la misma sinceridad? ¿Quieres saber cuál es el día del Señor? Es el *domingo*; no dejes de decirle cada domingo: "Señor, te amo, porque eres mi Padre y me siento orgulloso de ser tu hijo".

*P*adre nuestro, que estás en el cielo, santificado sea tu Nombre, venga a nosotros tu reino, hágase tu voluntad en la tierra como en el cielo" (Mt 6,9-13).

Vamos a vivir en gracia,
hasta terminar la vida.

Febrero 12

Hay dos expresiones contrarias, que frecuentemente escuchamos y aun pronunciamos nosotros mismos: "¡Qué mala suerte tuve!", "¡Hoy no tuve suerte!", "¡Rendí una materia, pero sin suerte!". Así solemos hablar cuando las cosas no nos han salido como nosotros esperábamos.

"¡Qué suerte tuve!", "¡Me cayó la suerte!", "¡Me sonrió la suerte!", "¡Jugué y con suerte!", "¡Te deseo buena suerte!". Así decimos en los casos contrarios.

En todo eso hay mucho de forma de hablar inconciente y desconsiderada y muy poco de conciencia de lo que estamos diciendo. La suerte no es algo que nos venga porque sí.

La mejor suerte que nos podemos desear será dejarnos guiar por la providencia de Dios, que todo lo tiene dispuesto para ayudarnos a llegar hasta Él; muchas veces nosotros ignoramos cómo tal o cual suceso nos puede ayudar, pero la fe nos dice que así es.

En esos momentos, nada mejor que clamar con los salmos: "Mi suerte está en tus manos, Señor". ¿Podemos desear otra cosa mejor que descansar en las manos de Dios?

Convéncete, de una vez por todas, de que Dios te ama y siempre busca tu bien. Y eso por el amor que te tiene. "Sabemos que Dios dispone todas las cosas para el bien de los que lo aman, de aquellos que han sido llamados, según su designio" (Rom 8,28).

Puede ser provechoso para los padres conocer el *Decálogo del buen padre*, expresado en estos mandamientos:

1. Amarás a tu hijo con todo tu corazón, alma y fuerzas, pero sabiamente con tu cerebro.
2. Verás en tu hijo una persona, y no un objeto de tu pertenencia.
3. No le exigirás amor y respeto, sino que tratarás de ganártelo.
4. Cada vez que sus actos te hagan perder la paciencia, traerás a la memoria los tuyos, cuando tenías su edad.
5. Recuerda que tu ejemplo seá más elocuente que el mejor de tus sermones.
6. Piensa que tu hijo ve en ti un ser superior; no lo desilusiones.
7. Serás en el camino de su vida una señal que le impedirá tomar rumbos equivocados, de los cuales difícilmente se vuelve.
8. Le enseñarás a admirar la belleza, a practicar el bien y a amar la verdad.
9. Brindarás atención a sus problemas cuando él considere que puedes ayudar a solucionarlos.
10. Le enseñarás con tu palabra y con tu ejemplo a amar a Dios sobre todas la cosas.

"*Padres, no irriten a sus hijos, sino edúquenlos corrigiéndolos y aconsejándolos según el espíritu del Señor*"(Ef 6,4).

Febrero 14

La vida tiene que ser un canto, así como el canto debe tener vida.

Desde luego que cada uno de nosotros elige el tono de la canción de su vida: el tono triste menor del lamento o el tono mayor de la alegría. Los que eligen el tono lúgubre de la queja: "¡Qué mal está el mundo!", "¡Cada vez vamos peor!", "¡Dónde vamos a parar!", están difundiendo a su alrededor pesimismo y derrotismo.

Hay que preferir el sostenido al bemol: la alegría, el entusiasmo, la fe, la esperanza, la caridad. Hay que vivir cantando, desparramando a nuestro alrededor las notas del jilguero y no el chirriar del gorrión; disipando sombras y no amontonando nubes; proyectando haces de luz y no hundiéndonos en las tinieblas.

Porque debe ser cosa muy triste caminar por las tinieblas, sin saber ni dónde nos hallamos ni a dónde vamos.

*C*risto es la luz que ilumina y es el camino que debemos seguir para no extraviarnos. "*Vengan a mí todos los que están afligidos y agobiados, y yo los aliviaré*" (Mt 11,28).

Siempre son más alegres los días de sol que los de tormenta; siempre resultará mas agradable la vida cuando se la enfoca en proyección de optimismo, que cuando se la mira con desconfianza.

Por eso:

Yo canto a la mañana, que vio mi juventud,
y al sol, que día a día nos trae nueva inquietud.
Le canto a mi madre, que dio vida a mi ser,
le canto a la tierra, que me ha visto nacer.
Y canto al día en que sentí el amor.
Andando por la vida, aprendí esta canción.

Y unas voces amigas nos brindan también estas estrofas:

Canto a la flor del campo, canto al viento, canto al mar,
canto a la luz que muere en el trigal,
canto al amor sincero, canto al fuego del hogar,
canto a la verdadera libertad.
Canto a los verdes prados, canto al aire, canto al sol.
Canto al azul del cielo y al amor.
Canto a la gente humilde, que me mira sin rencor,
canto a la paz del mundo, canto a Dios.

"Yo soy la Vida; nadie va al Padre, sino por mí" (Jn 14,6).

Febrero 16

Parecería que son tres las actitudes que podemos adoptar frente a la realidad del mundo:

—la primera sería la actitud del mirar al cielo sin hacer caso de la tierra, igual que los apóstoles se quedaron mirando al cielo cuando Jesús se apartó de ellos;

—la segunda, por el contrario, es la que prevalece hoy: mirar más bien a la tierra y centrarse en el tiempo, sin mayores preocupaciones de orden trascendente;

—la tercera ha de ser la de fijar los ojos en el cielo, teniendo los pies en la tierra; bien clavados los ojos y bien fijados los pies; ni cielo sin tierra, ni tierra sin cielo.

Hay un compromiso cristiano y un compromiso social que impiden que el creyente sea un despreocupado; de todo tiene que ocuparse y de todo tiene que responsabilizarse. Este es el verdadero "tercer mundo" que nos ubica debidamente en nuestro pensamiento y nuestra acción.

" Al que me reconozca abiertamente ante los hombres, yo lo reconoceré ante mi Padre, que está en el cielo" (Mt 10,32). Ya nos dice un Santo Padre: "El cristiano que no evangeliza, es un apóstata".

> *Que el mundo esté de colores,*
> *es mi sueño y mi ideal;*
> *ya Cristo cuenta conmigo,*
> *y yo con su gracia más.*

El hombre es como un inmenso pulmón, sediento siempre de oxígeno, como un inmenso corazón hambriento siempre de sangre; el oxígeno, la sangre que el hombre ansía es la felicidad.

A veces buscamos la felicidad fuera de nosotros mismos y nos equivocamos lamentablemente, pues la felicidad está dentro de nosotros y nosotros la construimos.

Nuestra felicidad es la consecuencia de la que hemos procurado a otros; tal vez nos diga algo de esto la madre que sonríe feliz ante la cama de su hijo dormido después de un día de trabajo por él.

No tenemos derecho a gozar de la felicidad, si no la creamos en torno nuestro; como no lo tenemos a disfrutar de la riqueza, si no la producimos. Nuestra principal tarea en esta vida es ser felices; así lo quiere Dios; pero el camino más corto y más seguro para serlo, es hacer felices a los demás, pues no hay más que una manera de ser felices, y es hacer felices a los demás.

*L*a felicidad comienza con "fe"; la fe será, pues, la condición indispensable de una profunda y permanente felicidad. "El temor del Señor recrea el corazón, da gozo y alegría y larga vida; todo terminará bien para el que teme al Señor, él será bendecido en el día de su muerte" (Eclo 1,12-13).

Febrero 18

Muchas veces nos preguntamos qué es la vida, y sobre todo nos inquieta saber para qué es la vida.

Porque es muy triste estar en una sala de espera, sin esperar nada, vivir porque se tiene vida, pero sin hacer nada en la vida, sin esperar nada de la vida, sin darle un sentido a la vida; una vida inútil es una muerte prematura.

Vive de tal manera que, cuando mueras, no tengas vergüenza de haber vivido; al contrario, te sientas satisfecho de haber vivido y de haber vivido tal como viviste.

La vida no es placer, la vida no es comodidad, la vida no es diversión, la vida no es turismo, la vida no es dinero, la vida no es confort; la vida tiene todo eso, pero la vida no es eso.

Como tampoco la vida no es dolor, la vida no es lágrimas y llantos, la vida no es sufrimiento y pesadumbre, la vida no son problemas y angustias... la vida tiene todo eso, pero la vida tampoco es eso, precisamente.

La vida es cumplir una misión, llenar un puesto, participar de un proyecto, contribuir al bienestar de los demás: eso es vivir.

"En la senda de la justicia está la vida; el camino que ella elige no lleva a la muerte" (Prov 12, 28). *"¿Saben acaso qué les pasará mañana? Su vida es como el humo, que aparece un momento y luego se disipa"* (Sant 4,14).

Cuando éramos niños, jugábamos muchas veces a "cara o cruz"; y ahora que somos adultos debemos vivir a "cara y cruz".

Porque la vida está así constituida: con muchas caras y no pocas cruces; y pretender prescindir de la cara para mirar solamente las cruces, es ser pesimista, es volverse misántropo y fatalista. Aunque cerrar los ojos a la cruz para mirar solamente la cara, es ingenuo y termina por desilusionar.

El cristiano debe admitir ambas: la cara y la cruz; la cara bonita del amor y la cruz fea del dolor; la cara grata del gozo y la cruz ingrata del sufrimiento; la cara sonriente de la alegría y la cruz sinuosa de las lágrimas; la cara agradable del bien y la cruz desagradable del mal.

Y en todo: cara y cruz Dios no deja de estar presente; pero es preciso saber descubrir los caminos por los que llegan a nosotros la cara y la cruz, que no son caminos de la fatalidad, sino los del Señor que nos invita con ellos a construir el Reino.

La mano derecha y la mano izquierda de Dios, ambas son manos de Dios, y Dios tanto te ama cuando te toca con la mano derecha como cuando te prueba con la izquierda. "A la nave concebida por el afán de lucro y construida por la sabiduría del artífice, es tu Providencia, Padre, quien la guía... mostrando así que puedes salvar de todo peligro " (Sab 14,2-4).

Febrero 20

No es posible prescindir de la cruz en la vida; pero no nos engañemos en imaginar cruces raras; la cruz toma la forma de mil y mil circunstancias diarias en nuestra vida.

El cumplimiento de nuestros múltiples deberes suele ser cruz que gravita sobre nuestros hombros; la fiel ejecución de nuestras obligaciones familiares, profesionales o ciudadanas; la práctica sincera del amor a todos, aun a los que no nos resultan simpáticos; la puesta al servicio de los demás, aun a costa de nuestra propia incomodidad, para que los demás estén y se sientan cómodos; la aceptación de cosas molestas que nosotros no buscamos, pero que nos vinieron solas, sin saber de dónde ni por qué; todo eso constituye frecuentemente una cruz pesada, o no, pero al fin una cruz.

Feliz aquel que sufre y sabe para qué sufre; feliz quien sufre para que los otros sufran menos. La verdadera cruz cristiana tiene como trazo vertical la tensión hacia Dios y como trazo horizontal el esfuerzo continuo para mejorar la tierra.

Triste es sufrir; mucho más triste es no saber sufrir; el cristiano conoce que debe sufrir con Cristo y por aquellos que fueron redimidos por Cristo. "Mi Servidor justo justificará a muchos y cargará sobre sí las faltas de ellos" (Is 53,11). Servidor de Dios es Cristo, pero es también el cristiano, que participa de la misión redentora de Cristo.

Para los cristianos hay un libro que es la expresión de toda su fe: el Evangelio.

Pero con el Evangelio no se puede jugar a las margaritas: "Evangelio, sí; Evangelio, no; Evangelio ahora sí, Evangelio ahora no".

Al Evangelio no se le pueden subrayar páginas o frases; es todo el Evangelio el que ha de ser subrayado, porque todo él ha de ser vivido en su plenitud, en toda su dimensión, en todas sus variadas vertientes y aplicaciones vitales.

Se ha escrito un libro con el título de *Evangelios molestos*; es que, si nos ponemos a vivirlo en toda su plenitud, el Evangelio es molesto, por la sencilla razón de que para cumplirlo debemos esforzarnos, negarnos y siempre resulta molesto negarse a sí mismo y a sus gustos y conveniencias.

El Evangelio no pasó "en aquel tiempo", sino que debe pasar "en este tiempo"; no se predicó "para aquellas gentes", sino que se predica "para nosotros".

El Evangelio no se nos puede caer de las manos; hay que hacer de él "una constante revisión de vida", hasta llegar a "ver, juzgar y actuar" según sus normas y su espíritu.

"*L as palabras que les dije son Espíritu y Vida*" (Jn 6,63). *Pero cada uno de nosotros tiene que hacer que las palabras del Señor sean vida en su vida.*

Febrero 22

Con frecuencia leemos en el exterior de un hospital ese letrero sugestivo: "¡Silencio, por favor!"

Y ponemos ese letrero para que no sufran los que están allí; y yo pienso que si muchos sufren en la vida, ¿no será porque ellos no han hecho suficiente silencio en su interior?

Hoy no se soporta casi ni "un minuto de silencio" en actos oficiales o deportivos; hoy cuesta mucho darle aunque no sea más que un minuto a Dios, al Señor, a la propia conciencia.

El mundo moderno, "tecnologizado" hasta en el campo, ya no es capaz de hacer silencio a su alrededor, y ya no soporta el silencio interior; sin embargo, el hombre de hoy necesita esas zonas de silencio en las que pueda refugiarse contra el ruido enervador y alienante que le impide su propia reconcentración.

Muchos se vuelcan a la enervante algarabía de los espectáculos públicos, donde tratan de desaparecer en el anonimato; y, sin embargo, en ninguna parte se siente más solo el hombre que en medio de esa multitud amorfa y alborotada.

¡C uánto amo tu ley, todo el día la medito...! Tus mandamientos me hacen más sabio que mis enemigos, porque siempre me acompañan" (Sal 119,97-99).

Es incomprensible la antinomia que vive el mundo de hoy: nunca se sintió tan uno, nunca latió tan fuertemente el sentido comunitario y, sin embargo, nunca se vivieron tantos antis: anti esto, anti aquello, antijudío, antiinmigrantes, anti... en vez de dar lugar a los pro: pro-humano, pro-nacional, pro...

No está bien desconocer o subestimar los valores de la tierra o de la patria de cada uno, pero sí está mal cerrarse de tal forma a todo lo demás que se nos convierta en aquello que no nos es lícito desear, aprobar o favorecer.

"¿De qué color es la piel de Dios?", preguntaba la canción.

Es amarilla, es negra, es blanca: todos somos iguales a los ojos de Dios; luego, si todos somos igualmente hijos de Dios, todos somos hermanos; todos somos viajeros de una misma nave y ésta no gozará de paz mientras no lleguemos a descubrir la futilidad de pelearnos entre nosotros.

L *as peleas y disensiones entre los hombres no son queridas por Dios; ya el apóstol San Pablo les decía a los corintios: "Temo que haya entre ustedes discordia, envidias, animosidad, rivalidades, detracciones, murmuraciones, engreimientos, desórdenes" (2 Cor 12,20). Todo esto deshace el racimo de los que buscamos la salvación.*

Febrero 24

Con frecuencia la vida se convierte en un juego de naipes en el que triunfa el as. La diferencia está en que para unos el as mayor es el as de oro, para otros el de espada, para no pocos el de bastos y no faltan quienes eligen el de copas.

As de oro para los que ponen sus esfuerzos en almacenar riquezas a toda costa y sin reparar en miramientos o en delicadezas de conciencia que se juzgan puritanas; as de oro con el que se piensa se pueden ganar todas las partidas, incluso la partida de la felicidad.

As de espadas para quienes todo lo quieren conseguir con la fuerza, sea de las armas, sea de las leyes políticas o sindicales.

As de bastos para quienes pretenden arreglar el mundo a garrotazos, con violencia, con secuestros, con odios, guerras y crímenes.

As de copas para los despreocupados que tratan de ahogar en vino y licores, en fiestas y comilonas los sinsabores diarios, los problemas acuciantes para la sociedad o el vacío que ellos experimentan en su interior, por falta de un sentido para su vida.

¿Será eso la vida? ¿Un juego de naipes?

"*Cantaré al Señor toda mi vida, mientras yo exista, celebraré a mi Dios*" (Sal 104,33). "*Porque tu amor vale más que la vida, mis labios te alabarán; así te bendeciré mientras viva*" (Sal 63,4-5).

Todos vivimos preocupados por el dinero; sin embargo, no nos ponemos de acuerdo sobre el valor del dinero, pues mientras para unos es un vil metal, para otros es "el poderoso caballero, don Dinero".

Que no se puede vivir sin la billetera lo saben desde el acaudalado hasta el ama de casa que va al supermercado para hacer sus compras. No se discute la posesión o la carencia del dinero, sino la posición que el hombre adopta frente a él.

Utilizar el dinero, hacer rendir al dinero, emplear para el bien el dinero, es una cosa; convertirse en esclavo del dinero, no vivir sino con la mente fija en él, obsesionado por él, es otra.

La Biblia no nos hace falta para conseguir dinero, pero sí para saber utilizar el dinero, para ponerlo a nuestra disposición y bienestar de la sociedad, y no ponernos nosotros a disposición del dinero. Al fin, el hombre, menos se posee a sí mismo; el hombre que sólo posee dinero no pasa de ser un pobre hombre.

"*Las preocupaciones del mundo y la seducción de las riquezas ahogan la Palabra de Dios*" (Mt 13,22). "*Vale más la pobreza del justo que las grandes riquezas del malvado*"(Sal 37,16). *No es el dinero el que hace la felicidad.*

Febrero 26

Una de las palabras más hermosas es la palabra *apóstol*.

Pero con cuánta frecuencia se la falsea: la palabra y la realidad.

Ser apóstol no es detectar los fallos y errores de los demás. Ser apóstol no es ser un aguafiestas de la vida; olvidando que Cristo fue un *vinofiestas* en Caná. Ser apóstol no es dedicarse a salvar almas, dejando de atender las necesidades de los cuerpos humanos. Ser apóstol no es organizar cruzadas para reprimir el mal en lugar de expandir la dinámica del bien. Ser apóstol no es hablar de la justicia de Dios, sin hacer nada por disminuir las injusticias entre los hombres.

Ser apóstol no es dedicar las migajas de unos minutos a los demás, mientras se pierden horas en una vida estéril o cómoda. Todo esto no son sino caricaturas del verdadero apóstol y, como caricaturas, no hacen sino alejar a todos del verdadero apostolado.

*T*odo cristiano debe ser un auténtico apóstol, pues todo cristiano debe estar constantemente evangelizando; pero no caigamos en el error de ser falsos apóstoles; San Pablo advertía a los primeros cristianos que había "falsos apóstoles, que proceden de forma engañosa, haciéndose pasar por apóstoles de Cristo; y no debe sorprendernos, porque el mismo Satanás se disfraza de ángel de luz" (2 Cor 11,13).

No basta reflexionar sobre el lado negativo del apóstol, sobre su falsa imagen; es preciso y más constructivo fijar la vista en su lado positivo, es decir, no estudiar tanto qué no es ser apóstol, sino más bien qué es ser apóstol.

Ser apóstol es antes que nada una exigencia del dinamismo de la fé; es tener la misión de hacer que el amor de Dios penetre en lo cotidiano del mundo; es sentir que Dios me empuja a meterme entre la gente, para preocuparme de sus problemas; ser apóstol es rezar como aquella niña: "Señor, haz que los malos sean buenos, y los buenos sean simpáticos".

Ser apóstol no es tanto hablar de Dios cuanto *vivir a Dios y trasmitirlo a cuantos nos rodean*; ser apóstol es tener un corazón tan rebosante de amor, que no tenga más remedio que comunicarlo a su alrededor. Ser apóstol es llevar siempre una sonrisa en los labios, una palabra a punta de lengua, una mano siempre tendida, un bolsillo sin cerrar, un corazón cargado de comprensión y de amor.

*C*risto *está cansado de apóstoles que sólo hablen de Él, y anhela, en cambio, que lo vivan.* "*Vayan y hagan que todos las pueblos sean mis discípulos, bautizándolos en el nombre del Padre y del Hijo y del Espíritu Santo y enseñándoles a vivir todo lo que yo les he mandado*" (Mt 28,19-20).

Febrero 28

A veces el sol se oculta detras de las nubes; en la vida a veces se oculta la alegría tras los nubarrones de las preocupaciones.

Pero no debes olvidar que, aun cuando el sol está oculto, brilla límpidamente arriba de las nubes; así tú, sobre tus preocupaciones y problemas, debes conservar siempre la calma, que posibilitará el brillo del sol de la alegría en tu vida.

Siempre debes reservar en tu corazón un lugar en el que no permitas penetrar la turbación o el tedio; ése debe ser tu lugar sagrado en el que no penetren sino la paz, la serenidad, la tranquilidad, en una palabra: Dios.

Sí, porque Dios es eso: paz, tranquilidad y bienestar.

En cambio, el mal es siempre tormenta, nubarrón, rayo devastador y trueno amedrentador, tristeza enervante, desaliento que llega a secar las fuentes de la vida, el dinamismo de la actividad creadora.

"Señor, dueño de tu fuerza, juzgas con serenidad y nos gobiernas con gran indulgencia, porque con solo quererlo, puedes ejercer tu poder" (Sab 12, 18). "Para que podamos disfrutar de paz y de tranquilidad, y llevar una vida digna y piadosa. Esto es bueno y agradable a Dios, nuestro Salvador" (1 Tim 2,2).

Marzo

Solamente
cuando el hombre
convierte su corazón,
los cambios
son permanentes.

En este mismo minuto de Dios, justo es que pensemos en Él. Muchos de los ateos de hoy no niegan propiamente a Dios, sino a las falsas imágenes que nosotros les presentamos.

Porque el Dios del Evangelio no es el Dios gélido de la razón, la Causa Primera de la filosofía, el Primer Motor de la metafísica, el Dios inmutable e impasible, el Dios interesado o comerciante, el Dios almacenero, el Dios policía; no, Él no es nada de eso.

El Dios del Evangelio es el Dios cálido, como unos brazos de Padre, el Dios Padre de los hombres, el Dios providente que cuida de sus hijos, el Dios que ama tanto a la humanidad, que entrega a su propio Hijo para salvarla, el Dios que nos espera con los brazos abiertos, para perdonarnos o premiarnos, el Dios que quiere repartir con nosotros en rebanadas infinitas el pan de la felicidad. El Dios-Hijo que muere para salvarnos, el Dios-Espíritu Santo que nos consuela y nos llena de amor.

Este es el Dios del Evangelio.

Evidentemente, no es lo mismo ser deísta que ser creyente.

"*Nadie ha visto jamás a Dios: el que lo ha revelado es el Hijo único, que está en el seno del Padre*" (Jn 1,18). *Descubrir que Dios es nuestro Padre es la base de la fe cristiana; solamente cuando el cristiano sabe de un modo conciente que es "hijo de Dios", comienza a ser en verdad cristiano.*

Marzo 2

Cristo siempre está entre nosotros. Hay que saber descubrirlo, hay que escucharlo y verlo.

El Cristo de la Eucaristía y el Cristo de la humanidad es un mismo Cristo; sería un gran error pretender comer el Cuerpo de Cristo en la mesa del altar y no hacer nada por dar de comer a los miembros hambrientos del Cristo sin pan, ni mesa, ni hogar.

La presencia sacramental y la presencia social del mismo y único Cristo, son dos caras de la misma moneda, anverso y reverso de la misma dimensión humano-divina de Cristo.

En el desafío actual de la historia, sólo cabe pensar en categorías comunitarias; si no formamos una unión humana, al calor de Dios hecho hombre y Pan-Eucaristía, tendremos que hacerlo al frío del Estado con pan, pero sin Dios y sin fraternidad.

"¿Acaso Dios no ha elegido a los pobres de este mundo, para enriquecerlos en la fe y hacerlos herederos del Reino que prometió a los que lo aman?" (Sant 2,5). *Cristo es el pobre, y el pobre es Cristo; tanto amor debo tener a uno como al otro: al pobre por Cristo, y a Cristo porque lo debo ver en el pobre. Disociarlos a ambos es destruirlos a los dos.*

Preocuparse por los demás, pensar en los demás, entregarse a los demás, en cristiano se llama "apostolado"; el apostolado no es una asignatura opcional para los cristianos ni un artículo de lujo del que se pueda prescindir.

Aunque, según el Papa Juan, ni siquiera sería preciso exponer el mensaje cristiano si nuestra vida fuera auténtica; ni sería necesario recurrir a las palabras si nuestras obras dieran testimonio.

No debemos olvidar que el hombre no se salva hasta que él mismo no se convierta en salvador de los demás; solamente se salvará salvando.

Ante el múltiple trabajo que queda por hacer, conviene recordar el proverbio oriental: "Más vale encender un fósforo que maldecir la oscuridad"; más que lamentarnos de que falta mucho por hacer, o de que los otros hacen poco, hagamos algo nosotros, encendamos una luz para disipar las tinieblas.

El "¡Sálvese quien pueda!" no es cristiano.

Indudablemente hay que salvarse en racimo; con los hermanos y por los hermanos; salvando, nos salvaremos. "La sangre de tu hermano grita a mí desde el suelo" (Gn 4,10). "Los niños pequeños piden pan y no hay quien se lo reparta" (Lam 4,4).

Marzo 4

Es mucho lo que nos queda por hacer: reemplazar el ardor de la violencia por la vehemencia del amor; cambiar nuestro viejo estilo de conquista en el apostolado por la más evangélica actitud de servicio a los demás.

Es más bello morir por una bella causa que matar por ella; es más constructivo trabajar por un "día de guerra para la paz" que trescientos sesenta y cuatro de paz para la guerra. Es bueno llegar a una meta, pero es mejor ayudar a otros para que lleguen con nosotros.

Es hermoso compartir el pan con el hambriento, el techo con el peregrino, la capa con el desnudo, la amistad con el solitario, la alegría con el triste, las lágrimas con el que llora, la angustia del que sufre, la fe con el no creyente.

Compartir es convivir; convivir es simplemente vivir, porque una vida no se comparte, si no se convive; y si no se convive, no se vive; y si no se vive, se está muerto. ¡Cuántos que piensan que viven están muertos!

P ensar en los demás, sufrir por los demás, entregarse a los demás; todo eso no es sino imitar al Maestro Jesús, del que el apóstol afirma: "No tenemos un Sumo Sacerdote incapaz de compadecerse de nuestras debilidades, al contrario él fue sometido a las mismas pruebas que nosotros, a excepción del pecado" (Heb 4,15).

Todos tenemos buena volunta~~d~~
nos ofendemos mutuamente, nos
a otros, porque no tenemos ni los
ni las mismas inclinaciones, ni la
de ser.

De ahí la necesidad, que nos urg~~e~~ ~~a~~ ser mutuamente comprensivos, de sabernos comprender,
de disimularnos las molestias, de perdonarnos, de
olvidar agravios, de no ser excesivamente sus-
ceptibles.

El que perdona es digno de ser perdonado.
«Con la medida con que midan, serán medidos.»
El que comprende con facilidad será fácilmente
comprendido; el que es bueno con todos, conseguirá que todos sean buenos con él; el que ama,
será amado; no se extrañe el que no ama a nadie
de que nadie lo ame a él; no se extrañe y no se
queje; no se queje y no eche la culpa a otros, pues
es él el culpable, el causante de la frialdad que
nota a su alrededor.

C *ondición indispensable para que nosotros poda-*
mos rezar el Padre Nuestro es que perdonemos las
ofensas que recibimos, a fin de ser perdonados por las
ofensas que causamos; que perdonemos a los hombres,
para que nos perdone Dios. "Si al presentar tu ofrenda
en el altar, te acuerdas de que tu hermano tiene alguna
queja contra tí, deja tu ofrenda ante el altar, y ve prime-
ro a reconciliarte con tu hermano; luego vuelve y pre-
senta tu ofrenda" (Mt 5,23-24).

hombre necesita de la fe, ha de vivir con fe y
ha de obrar por la fe. La fe no es cuestión solamente de entendimiento; es también y sobre todo
cuestión de corazón y de vida. Por eso, porque es
cuestión de corazón, de amor, cien dudas y objeciones no llegan a turbarla; aunque también es cierto
que cien argumentos y razones no son capaces de
hacer surgir un acto de fe.

La fe es la luz que ilumina el camino a seguir,
es la respuesta para todas las objeciones; es la
fuerza para todas las pruebas; es el bálsamo que
suaviza todos los dolores; es el pañuelo que en-
juaga todas las lágrimas; es el color que alegra
todos los panoramas.

Si no tenemos fe; caminamos a tientas, no puede dar luz el que no la tiene; el creyente conoce el
terreno que pisa, la ruta por la que camina, la
meta que se ha propuesto. La luz que lo ilumina
clarifica el espacio que lo circunda.

*El justo vive por la fe; porque vive de la fe, es justo,
y porque es justo, es feliz y porque es feliz, trans-
mite felicidad. "El justo vivirá por la fe; pero si vuelve
atrás dejaré de protegerlo; pero nosotros no somos los
que vuelven atrás para su perdición, sino que vivimos
la fe para salvar nuestra vida" (Heb 10,36-39).*

Es difícil tener fe; es mucho más difícil vivir sin fe.

Con fe, el camino de la vida se hace difícil; sin fe, el camino se vislumbra imposible.

Si no se tiene fe en su auténtica dimensión, se cae en mil supersticiones ridículas e irracionales.

Sin fe no alcanzarán a levantar una hoja del suelo; con la fe podrán mover el mundo y convertir al hombre.

Ni fe sin amor, ni amor sin fe; ni fe sin obras, ni obras sin fe; ni Dios sin el hombre, ni el hombre sin Dios.

Muchas cosas no se entienden hasta que no sufrimos por ellas.

"Hacer lo que Dios quiere y querer lo que Dios hace" puede ser una muy buena norma de conducta para tu vida. La perseverancia es buena, si es perseverancia en el bien: el bien no es valedero si no es perseverante.

Nosotros solos somos poca cosa; el Señor nos lo advierte: "Separados de mí, nada pueden hacer" (Jn 15, 15). En cambio, sabemos que con Él todo lo podemos, ya que Cristo y yo somos mayoría aplastante. "Todo lo puedo en aquel que me conforta" (Flp 4,13). De esta manera la vida toda respira tranquilidad.

Marzo 8

Pretender que en la vida no haya dificultades y no tengamos que realizar esfuerzos, es pura fantasía; pero trata de tener presente que el éxito, el triunfo, nunca lo conseguirá el cobarde sino el valiente.

Ser cobarde no es ninguna hazaña; cualquiera puede serlo; ser valiente es propio de los grandes espíritus; y tú no querrías ciertamente quedarte en dimensión de pigmeo; tú pretendes llegar a la altura de tu madurez.

Por eso necesitas valentía; de los valientes es el éxito, de los valientes es el triunfo; los valientes consiguen la tierra y alcanzan el cielo; los valientes se dominan a sí mismos y merecen el respeto de los demás. Se imponen, no por razón de la fuerza, sino por la fuerza de la razón; o si quieres, mejor: se imponen por la fuerza de la razón y del amor.

Por mucho que hagas en tu vida, siempre te quedarán cosas que puedas hacer.

¿*P* *odrás alguna vez decirle al Señor: "Ya te he dado suficiente"? "El que se gloría, que se gloríe en el Señor" (1 Cor 1,31). "No tengas miedo, que no desfallezcan tus manos; el Señor tu Dios está en medio de ti, es un Salvador victorioso" (Sof 3,16-17).*

Hay no pocas cosas que suenan a verdaderas, pero no son verdad; otras aparecen buenas, pero no lo son; será importante que aprendas a distinguir una cosa de otra, porque no aprovecha lo que aparece, sino lo que es.

La superficie y la profundidad, el aparecer y el ser, la apariencia y la realidad, lo exterior y lo interior, lo que ve el hombre y lo que juzga Dios: son binomios de los que el hombre no podrá desprenderse en absoluto.

Algunos se creen incapaces de ser buenos porque se creen incapaces de superarse y, en realidad, no llegan a ser mejores porque no tratan de superar su incapacidad. Otros sienten que no se superan porque no se superan de golpe y en un solo momento, cuando en realidad se superarían si trataran de hacerlo poco a poco; no se superan en las grandes cosas, porque no se esfuerzan en superarse en las cosas comunes y sencillas.

D ios no se deja engañar por las apariencias; el hombre sí, pues es lo único que alcanza a divisar; en cambio, "Dios escruta los corazones y la mente" (Sal 7,10). "Yo, el Señor, sondeo el corazón y examino los entrañas, para dar a cada uno según su conducta, según el fruto de sus acciones" (Jr 17,10).

Marzo 10

Es muy común dividir la humanidad en dos grupos: los buenos y los malos. Sería interesante que analizáramos en qué grupo nos incluimos, del mismo modo que instintivamente colocamos a los otros entre los malos.

Nos sentimos mejores de lo que somos y, por el contrario, juzgamos a los otros peores de lo que son; pensamos que los otros tienen que cambiar, mientras que nosotros no tenemos ni de qué, ni por qué cambiar.

Pero será bueno que te detengas a pensar: ¿cómo sería el mundo si todos fueran como tú? Deberías analizarlo con toda sinceridad; no te dés fácilmente el «certificado de buena conducta» siendo como eres tan rígido y exigente en dárselo a los que te rodean, no sea que Dios te invierta los papeles y te juzgue a ti con la exigencia con la que tú juzgas a los demás.

"*No juzguen y no serán juzgados; con la misma medida con que midan serán medidos*": norma justísima establecida por Cristo para los suyos. "*Tú que pretendes ser juez de los demás —no importa quien seas— no tienes excusa, porque al juzgar a otros, te condenas a ti mismo, ya que haces las mismas cosas que condenas*" (Rom 2,1).

> *Nuestra vida, aunque humana,*
> *Cristo ya divinizó;*
> *y con Él por todo el mundo*
> *vamos difundiendo amor.*

Si no te pareces a quien amas, es porque no amas a quien te pareces, porque el amor, o encuentra semejantes a los que se aman, o los hace semejantes.

Y, si lo amas, si eres semejante a él, lo defenderás en su ausencia y lo corregirás en su presencia; y, si lo defiendes, lo harás con sinceridad y, si lo corriges, lo harás con profunda caridad.

Si lo defiendes con sinceridad y lo corriges con caridad, lo ganarás para ti y para Dios, le habrás hecho un bien, habrás contribuido a su mejoramiento; y, al hacerlo mejor a él, te habrás hecho mejor a ti mismo.

Y de esa forma te habrás dado a los demás, porque el verdadero amor lleva a darse, pero a darse de verdad, sin retaceos ni limitaciones, sin falsificaciones, ni hipocresías.

La actitud de caridad te llevará en ocasiones a corregir a quien amas; pero entonces deberás corregirlo porque lo amas y no pensar que lo amas, porque lo corriges. "No guardes rencor a tu prójimo por ninguna injuria, ni hagas nada en un arrebato de violencia" (Eclo 10,6). Si te examinas con sinceridad y profundidad, verás que, cuando corriges o llamas la atención, hay en ti un tanto por ciento de buena intención pero otro buen tanto por ciento de nerviosismo, de mal genio, de impaciencia.

Marzo 12

En tu vida hay cosas que son accidentales o secundarias y otras que son esenciales y primarias; de las primeras podrás en absoluto prescindir en determinadas circunstancias; de las segundas nunca podrás olvidarte.

Examina qué es principal para ti y qué es secundario; qué es esencial y qué es accidental, y vive según tu respuesta.

Pero ten cuidado de no equivocarte en tus apreciaciones; no sea que, al equivocarte en tus juicios, te equivoques en tu vida; hay equivocaciones que no arrastran a mayores consecuencias, mientras que otras producen verdaderas catástrofes.

Hay que jerarquizar las cosas, ponerlas en el lugar que les corresponde en la escala de valores; será desastroso trastornar esos valores; piensa que el primer lugar, por ser el primer valor, le corresponde siempre y únicamente a Dios.

Nada ni nadie hay más grande que Dios y sus proyectos; y dejar de cumplir con Él o con ellos, por cumplir con otros, es un desorden que tu conciencia no puede aprobar. "Yo soy el Señor, tu Dios, un Dios celoso" (Ex 20,5). "El Señor, su Dios, es el Dios de los dioses, el Señor de los señores, el Dios grande, valeroso y temible que no hace acepción de personas ni se deja sobornar" (Dt 10,17).

Si quieres hacer mucho y piensas que haces poco, es buena señal; si juzgas que haces más de lo que te corresponde, es mala señal; si crees que siempre estás a tiempo para hacer algo más, es buena señal; si piensas que ya pasó tu hora, es mala señal.

Cuando te esfuerzas por poner un granito más de arena de tu colaboración en la acción común, ofreces una buena señal; cuando te retiras prematuramente, pensando que ya hiciste lo suficiente y que ahora le corresponde poner el hombro a los demás, das una mala impresión de ti mismo, ofreces o presentas una triste figura.

No permitas que haga otro lo que tú debes hacer; no tengas inconveniente en que otro haga lo que también tú pudieras hacer; pero no dejes de hacer lo que los otros debieran hacer y no lo hacen, o lo que los otros directamente no pueden hacer.

S i somos un Cuerpo Místico, dependemos unos de otros e influimos unos en otros; ninguno puede prescindir de los otros; todos formamos un racimo. "El Dios de la paciencia y del consuelo les conceda tener los unos para con los otros los mismos sentimientos, según Cristo Jesús, para que unánimes, a una voz, glorifiquen al Dios y Padre de Nuestro Señor Jesucristo" (Rom 15,6).

Marzo 14

No caigas en el error de creerte sincero y aprobarte a ti mismo diciendo que tú "eres así"; más bien estudia cómo debes ser y esfuérzate por llegar a serlo.

Cambia el "soy así" por el "tengo que ser así".

Eres "así"; pero, ¿estás seguro de que debes ser así? ¿Te juzgas ya tan perfecto, que no tienes por qué cambiar? ¿Piensas que los que no son "así", como eres tú, no son tan buenos como tú? ¿Por qué ellos deben cambiar su modo de ser y tú debes seguir siendo como eres?

Hay en ti un complejo de superioridad y, en cambio, juzgas a los otros con criterio de inferioridad. ¡Piensas de ti con un convencimiento de perfeccionismo y autosuficiencia y miras a los demás con desprecio o al menos subestimación!

*N*o basta que sirvamos a Dios; es preciso que cada día lo hagamos con mayor perfección; ya a Abraham Dios le había trazado la senda: "Camina en mi presencia y sé irreprochable" (Gn 17,1). "Hasta que lleguemos todos a la unidad de la fe y del conocimiento pleno del Hijo de Dios, al estado de hombre perfecto, a la madurez de la plenitud de Cristo" (Ef 4,13).

No debes confundir lo bueno con lo agradable; lo bueno puede ser amargo, como es la medicina amarga, que sana; y lo agradable puede resultar nocivo.

No puedes guiarte por el criterio de si algo gusta o disgusta, para deducir si es bueno o malo, si puedes o no realizarlo, admitirlo o rechazarlo.

El gusto y el deber muchas veces recorren caminos distintos; no sigas el camino del gusto, sino cuando ese camino coincida con el camino del deber.

En cada persona y en cada cosa hay algo de bueno; tu sabiduría consistirá en descubrir eso bueno, cerrando los ojos a lo que en esa persona o cosa pueda haber de no-bueno. En todo momento puedes decir algo bueno; no vayas escatimando a nadie lo bueno que puedes darle: eso sería avaricia y egoísmo.

*D*iscernir *entre lo que es bueno y lo que no lo es; practicar el bien y apartarse del mal; eso es "pisar fuerte en la vida". "Se te ha indicado, hombre, qué es lo bueno, y que exige de ti el Señor: nada más que practicar la justicia, amar la fidelidad y caminar humildemente con tu Dios" (Miq 6,8).*

> *La luz de la gracia es una luz*
> *que las sombras cambia en sol.*

Marzo 16

La vida es acción y la acción es vida; no puedes detenerte en el camino de tu acción, cruzándote de brazos; desde el momento en que cejas en tu acción, estás perdiendo vitalidad.

Cuanta más acción desarrolles, más gozarás de tu vida; cuanto más profundamente vivas tu vida, más fuertemente serás lanzado a la acción. Vive tu vida, pero vive tu acción, vive tu vida en la acción; realiza tu acción en la vida.

A veces, en tu acción apostólica observas poco éxito; comienzas a hablar de Dios a los hombres y los hombres no te escuchan; si cambiaras de método, si antes de hablar a los hombres de Dios, intentaras hablar a Dios de los hombres, las cosas saldrían mejor, porque estarían mejor ordenadas.

A veces las grandes acciones exigen grandes silencios; otras, grandes sacrificios.

No olvides que las grandes palancas del apóstol son sus rodillas y que el mundo tiembla cuando el cristiano cae de rodillas. "La oración del humilde atraviesa las nubes" (Ecl 35,17). "Sean perseverantes en la oración velando siempre en ella con acción de gracias" (Col 4,2).

Haz lo antes posible lo que tienes que hacer. No dilates el cumplimiento del deber; dilatarlo ya es no cumplirlo como se debe.

Si lo tienes que hacer, mientras no lo realices ese deber estará grabado en tu conciencia, y por más que luego lo realices, siempre quedarás con la amargura de no haberlo cumplido a su debido tiempo. O al menos con suficiente generosidad, ya que hacer las cosas bien, pero tarde, hasta los menos dotados las hacen; pero hacerlas pronto y bien, eso es propio de las almas generosas.

Si el deber es amargo y lo realizas pronto, antes pasará la amargura y te quedará la satisfacción de haber cumplido; si es amargo y dilatas el cumplirlo, no harás sino aumentar la amargura y, por ello, sufrir sin mérito.

T ienes que ser fiel al deber; pero no dejes de preocuparte por ser fiel sobre todo al amor, que es tu primer deber. "El que es fiel en lo poco, también lo es en lo mucho, y el que es desonesto en lo poco, también lo es en lo mucho" (Lc 16,10). "Sé fiel hasta la muerte y te daré la corona de la vida" (Ap 2,10). El amor a la fidelidad solamente surge de la fidelidad al amor. Si no eres fiel, no amas; si no amas, no serás fiel mucho tiempo.

Marzo 18

Es bueno que tengas ciencia; es mejor que tengas conciencia; es bueno que sepas qué tienes que hacer; es mucho mejor que hagas lo que sabes que tienes que hacer; es bueno que tengas talento, para saber lo que debes hacer; es mejor que tengas el talento de hacerlo.

La promesa, el propósito, son buenos; pero no llegan a ser fecundos sino cuando los cumples, cuando se convierten en realidad.

El éxito es un propósito que se cumplió; el fracaso es un propósito que no llegó a cumplirse; la promesa nunca realizó nada, pues mientras es promesa, no ha llegado a realizarse; cuando ya se realiza, deja de ser promesa para convertirse en realidad.

Todo propósito que permanece en el terreno del propósito es negativo mientras no se concrete en plano de los hechos; toda promesa que sigue siendo promesa es ineficaz mientras siga siendo promesa y no se concreta en el plano de los hechos.

*E*s la voluntad de Dios la que nos santifica, el reconocimiento y la aceptación de la voluntad del Señor. "No son los que me dicen: «Señor, Señor», los que entrarán en el Reino de los Cielos, sino los que cumplen la voluntad de mi Padre que está en el cielo" (Mt 7,21).

Un fracaso no es una vida fracasada; quizá sean necesarios muchos fracasos para que la vida sea un éxito y quizá la ausencia de fracasos sea lo que constituya una vida fracasada.

Porque una vida fracasada es no hacer nunca nada para no exponerse al fracaso. Si nunca haces nada, nunca fracasarás; pero si nunca fracasas, quizá sea porque nunca haces nada; y no hacer nada, ¿no es una vida fracasada?

Si no quieres equivocarte, si no quieres ser criticado, no hagas nada; pero si no haces nada, ya estás equivocado; y si no haces nada, podrán criticarte y en este caso con razón.

Muchos éxitos comenzaron con fracasos; muchos fracasos tuvieron como positivo el haber intentado el éxito; y, después de un fracaso, siempre queda tiempo para una victoria definitiva.

S iempre debemos atribuir a Dios la victoria y los éxitos; los fracasos se deberán a nuestra flaqueza y miseria. "Tuya, Señor, es la grandeza, la fuerza, la gloria, el esplendor y la majestad, porque tuyo es cuanto hay en el cielo y en la tierra... es tu mano la que todo engrandece y todo sostiene" (1 Cr 29,11-12).

Marzo 20

Todo extremismo es vicioso; ni a la derecha, ni a la izquierda; el equilibrio es más justo y más sano; la virtud está en el medio.

Puedes pecar por exceso de optimismo o, por deficiencia, en el pesimismo; pero si no puedes o no sabes guardar el justo equilibrio de un sano realismo, es preferible que te inclines por el optimismo.

Al fin, siempre será más agradable presentar la vida "en colores" que en blanco y negro; siempre es más simpático esparcir sonrisas que presentar entrecejos; es más atrayente la tarde soleada y serena que la tormenta asoladora o la noche silbante.

La prudencia es la virtud que gobierna todas las demás virtudes.

*P*or la prudencia todas las demás virtudes guardan el debido equilibrio y por eso siguen siendo virtudes, ya que todo extremo es vicioso. "Feliz el hombre que ha encontrado la sabiduría y el que alcanza la prudencia" (Prov 3,13). "La prudencia es fuente de vida para el que la tiene, el castigo de los necios es la necedad" (Prov 16,22).

> *Con nuestra fe conocemos*
> *que Jesús es Dios y Hombre;*
> *y aprendemos a luchar*
> *y a trabajar por su Nombre.*

Te quejas de que los tuyos no te comprenden: ni los tuyos, ni tus empleados, ni tus amigos, ni los que te rodean. Nadie te comprende; eres el gran incomprendido.

Pero quiero preguntarte dos cosas:

1°: ¿Te comprendes a ti mismo? ¿Cómo pretender que los otros hagan en ti lo que tú mismo no alcanzas a hacer?

2°: ¿Qué haces tú para que los demás te comprendan? En tu casa, en tu oficina, en tu trabajo, en tu círculo de amigos, ¿qué elementos presentas para que ellos te puedan comprender? Porque no se puede exigir a nadie un imposible; y resulta imposible comprenderte si tú no presentas comprensión, si no te muestras como comprensible. Domínate a ti mismo antes de pretender dominar a los demás.

Es, pues, mucho mejor que te comprendas a ti mismo y te presentes comprensible a los demás que quejarte de no ser comprendido.

A su discípulo Timoteo le advertía san Pablo: "El que sirve al Señor no debe tomar parte en peleas; por el contrario tiene que ser amable con todos, apto para enseñar, paciente..." (2 Tim 2,24). Ser amable con todos: este consejo de Pablo es apto para todos nosotros; entonces como ahora, en tiempos de Timoteo como en nuestro tiempo, la amabilidad capta la benevolencia de todos.

Marzo 22

Es triste sufrir; pero más triste es no saber sufrir o sufrir inútilmente. Podrá ser bueno sufrir; es mejor no hacer sufrir a los otros; es también muy bueno hacer que otros no sufran; será todavía mejor sufrir por los otros, o sufrir para que los otros no sufran.

La semilla tiene que sufrir al deshacerse y pudrirse en el seno de la madre tierra; pero se multiplica en la grandeza de la espiga; sin el grano, que sufrió y se pudrió, no hubiera habido espiga.

Es duro dominarse, pero es satisfactorio cuando llegamos a la propia superación; los más grandes hombres son los que más se han superado; la superación, en todos los órdenes, es la ley fundamental en la vida de los hombres y aun de las instituciones.

El mundo va siempre adelante, siempre progresando; no te quedes estancado, porque así desperdicias tu condición humana.

"Los exhorto, hermanos, por la misericordia de Dios, a ofrecerse ustedes mismos como una víctima viva, santa, agradable a Dios: éste es el culto espiritual que deben ofrecer. No tomen como modelo a este mundo presente; por el contrario transfórmense interiormente renovando su mentalidad, para que puedan discernir cuál es la voluntad de Dios: lo que es bueno, lo que agrada, lo perfecto" (Rom 12,1-2).

Tú no puedes prescindir de nadie y nadie puede prescindir de ti; tú estás para todos y todos están para ti; nadie puede sufrir sin que tú sufras; nadie puede ser feliz sin que tú sientas alegría.

Piensa lo que serías tú si nadie te hiciera bien; y luego piensa lo que serían los demás si tú no les haces bien. Hay una intercomunicación entre todos los hombres: nadie puede prescindir de nadie, nadie es molécula aislada; todos somos, más bien, miembros de un mismo Cuerpo.

Y un miembro debe vivir *con* y *para* los otros miembros; no vivir "con" los otros miembros es secarse, condenarse a la muerte; no vivir "para" los otros miembros es ser parásito, es vivir "de" ellos, sin devolverles algo al menos de lo que de ellos recibimos; es ser egoístas, y tú no puedes permitirte descender tan bajo.

"**N**o imites lo malo, sino lo bueno; el que hace el bien pertenece a Dios; el que obra el mal no ha visto a Dios" (3 Jn 11). *El bien no solamente lo hacemos para nosotros, sino también para los demás; y haciendo el bien a los demás nos lo hacemos también a nosotros.*

"*Me voy con paz en el alma,
me voy con la gracia en mí*".

Marzo 24

Todos aborrecemos la guerra y somos partidarios de la paz; pero una cosa es ser partidario de la paz y otra ser *constructor* de la paz, difusor de la paz.

Queremos la paz en el mundo, pero será imposible implantar la paz en el mundo si primero no reina la paz en nuestra patria; la paz en la patria se fundamenta en la paz de los hogares; pero es utópico pretender la paz en la familia si cada uno de nosotros no goza de paz en su interior.

Solamente el hombre que es pacífico consigo mismo será pacífico con los demás.

Y para ser pacífico, es preciso ser un hombre de buena voluntad, pues solamente a los hombres de buena voluntad se ha prometido la paz. Pero no olvidemos que no podemos ser hombres de buena voluntad si no somos hombres de Dios, si no cumplimos siempre y en todo la voluntad de Dios.

"¿*D*e dónde proceden las guerras y las luchas que hay entre ustedes? ¿No es de las pasiones, que combaten en sus miembros? Ambicionan y si no consiguen lo que desean, matan; envidian, y al no alcanzar lo que pretenden, combaten y hacen la guerra*" (Sant 4,1-2). Si así eran aquellos primeros cristianos, los de ahora no somos mucho mejores, no hemos adelantado tanto; y si el cristiano no es pacífico, el mundo no puede tener paz.*

Es bueno hacer lo que Dios quiere; pero quizá sea mejor, y cueste más, querer lo que Dios hace.

Y todavía puedes dar otro paso adelante: querer lo que Dios hace, pero quererlo con amor; porque lo que en la vida se hace sin amor, vale muy poco; en cambio, lo que se hace con amor, cuánto se estima.

Entre un ramo de flores que te tiran a la cara, o el capullito que te ofrecen con cariño, seguramente tú preferirás lo segundo. Si las cosas de tu vida las realizas con amor y por amor, nadie te preguntará qué es lo que has hecho, sino más bien se fijarán en el amor con que lo has hecho.

Nadie te preguntará; tampoco Dios, que no se fija tanto en lo que hacemos cuanto en el amor con que lo hacemos. Ama; ésta es la ley, el consejo, la meta, el todo.

"*P*ongan todo el empeño posible en unir a la fe, la virtud, a la virtud el conocimiento, al conocimiento la templanza, a la templanza la perseverancia, a la perseverancia la piedad, a la piedad el espíritu fraterno, al espíritu fraterno el amor*" (2 Pe 1,5-6).

Marzo 26

Cuando debes hacer un viaje, te preocupas con cuidado de todos los detalles, piensas en todas las posibilidades, prevés todas las circunstancias y te provees para todas ellas; es decir, prevés y provees.

Y cuanto más largo y complicado el viaje, mayores son tu preocupación y tus preparativos, porque un descuido podría resultar molesto o de graves consecuencias.

¿Has pensado en preparar cuanto necesitas para ese viaje, que ya estás realizando, del tiempo a la eternidad, de la tierra al cielo?

Es el viaje que más te interesa, el que mayores consecuencias puede reportarte.

Sé prudente, sé previsor, no te expongas, asegúrate en lo posible; porque de ese viaje ya no se vuelve, es un viaje sin retorno.

"*Alégrate, muchacho, mientras eres joven, y que tu corazón sea feliz en tus años juveniles; sigue los impulsos de tu corazón y lo que es un incentivo para tus ojos...*": *ésta es la máxima que el mundo silba a los oídos de los jóvenes y de los adultos; pero a continuación el Espíritu Santo puntualiza:* "*pero ten presente que por todo ello Dios te llamará a juicio*" (Ecl 11,9).

Algunos no creen en Dios porque no lo han visto nunca. Pero nunca ven a Dios porque no creen en Él. ¿Cómo van a verlo si no creen que existe?

Ese niño que juega con su autito de plástico; ese enfermo postrado en cama hace mucho o poco tiempo; ese pobre que golpea la puerta en demanda de ayuda; ese obrero que trabaja de sol a sol para llevar el pan a sus hijos; ese empleado dejado cesante en su trabajo... En todos ellos y en muchos más está Dios. En ellos debemos verlo...

Si creemos que en ellos está Dios, en ellos veremos a Dios; y si en ellos vemos a Dios, los trataremos de manera muy distinta.

Lo difícil no es tanto creer en Dios, cuanto vivir de tal forma que podamos ver a Dios; porque Dios no se hace ver sino de aquellos que poseen humildad de corazón.

"*Q*ue Cristo habite por la fe en sus corazones, y sean arraigados y cimentados en el amor, así podrán... conocer el amor de Cristo, que supera todo conocimiento para ser colmados por la plenitud de Dios" (Ef 3,17-19). El conocimiento bíblico está impregnado de amor y no es un mero conocimiento conceptual o platónico; es un conocimiento de vida, que supone vida y lleva a la Vida. Por eso el cristiano conoce a Dios, porque lo ama, y lo ama porque lo conoce.

Marzo 28

Las cosas, los sucesos y las personas tienen sus lados buenos y sus lados malos, sus superficies planas y sus aristas.

Es muy poco inteligente, injusto y parcial descubrir solamente o principalmente el lado negativo, los defectos o deficiencias, las faltas o limitaciones.

Es poco constructivo al ver tanto lo bueno como lo malo, lo agradable como lo desagradable, alabar lo primero y criticar lo segundo.

Parecerá cándido e inocente contemplar sólo lo positivo, lo bueno, lo agradable y olvidar o disimular lo negativo, lo malo, lo defectuoso; será cándido, pero será más humano y más cristiano; será más inocente, pero será más caritativo; y este amor cristiano, esta caridad evangélica son capaces de mejorar el mundo, de elevar las relaciones de unos con otros.

Aprende, pues, a ver siempre el lado bueno de las cosas y de las personas.

"*Que cada uno de nosotros trate de agradar a su prójimo para el bien y la edificación común, porque tampoco Cristo buscó su propio agrado...*" (Rom 15,2). *Para agradar al prójimo no debemos analizar si es así o de la otra forma, sino simplemente reconocer que es hijo de Dios, Dios se complace en él, y el Padre nos pide que tratemos de llevarnos bien y agradarnos los unos a los otros.*

Analiza bien las cosas, porque es muy fácil confundirlas y sacar conclusiones erróneas. El bien y el mal son irreconciliables y, sin embargo, con frecuencia se los confunde.

Es malo hacer el mal; es peor hablar mal del que obra el mal; es malo hablar mal de otros; es peor inventar los males que se comentan de los otros. Es malo obrar el bien y ocultarlo por temor; será bueno hacer el bien y mantenerlo sin publicarlo, siempre que pudiera aparecer ostentación; porque es bueno hacer el bien, pero es malo hacerlo por publicidad.

Así, pues, no hables mal de nada y menos de nadie; habla bien de todo y de todos, aun cuando debas evaluarlos. Obra siempre el bien y apártate del mal, pues será bueno apartarse del mal y muy malo no obrar el bien.

E s cosa difícil dominar la lengua; por eso el apóstol Santiago dice que el que logra dominarla es verdaderamente religioso (Sant 1,26). "No podrá ocultarse el que habla perversamente, la justicia acusadora no lo pasará por alto... el eco de sus palabras llegará hasta el Señor... un oído celoso lo escucha todo, no se le pasa ni el más leve murmullo Cuídense, entonces, de las murmuraciones inútiles y preserven su lengua de la maledicencia" (Sab 1,8-11).

Marzo 30

Hay más cosas buenas de las que tú crees; quizás no las sabes descubrir; es preciso mirarlas, descubrirlas, valorarlas.

No te dejes engañar por la propaganda ni por el ruido; pues si el ruido hace mucho daño y poco bien, el bien hace mucho provecho y poco ruido.

El acto criminal será publicitado como noticia; el acto de virtud no será ni mencionado ni valorado, porque se lo desconoce.

Ese cartero que soporta el calor y el cansancio al recorrer las calles, la telefonista que atiende rápidamente los llamados, el empleado que está pronto para ponerse a disposición del cliente, el colectivero que tiene paciencia ante los reclamos de los pasajeros, la madre que soporta la soledad mientras atiende a su niño enfermo, el padre que desgasta sus fuerzas por los suyos; esos y miles y miles más están haciendo actos buenos; pero nadie se fija en ellos y por ser actos comunes y diarios nadie los valora.

"¡Ay de los que llaman al mal bien, y al bien mal; que dan oscuridad por luz, y luz por oscuridad; que dan amargo por dulce, y dulce por amargo!" (Is 5,20). *Siempre es más agradable y más eficiente y constructivo trasmitir el bien y olvidar el mal, hacer resaltar el bien y ocultar el mal, fijarse en lo bueno más que sacar a relucir lo malo.*

No basta que tú no hagas lo que ves que otros hacen; es preciso que tú obres de tal forma que los demás puedan hacer lo que tú haces.

No basta decir que no, es preciso decir que sí; el *no* es algo negativo, el *sí* es lo positivo. El amor no consiste solamente en no ofender, en no insultar; el amor es algo positivo y en consecuencia va a exigir algo más que no ofender.

No dar mal ejemplo a los demás podrá ser una primera etapa que nos propongamos, pero en manera alguna podrá ser la etapa definitiva; con ella no podrá quedarse tranquilo nuestro corazón ni en paz nuestra conciencia.

Estamos obligados a presentarnos delante de los demás con tal carga de bondad que los instemos a la práctica del bien; con tal intensidad de generosa entrega que los movamos a imitar nuestra dedicación al bien de los demás.

No basta no mirar hacia abajo; es preciso mirar positivamente hacia las alturas; arriba y siempre arriba, que allí están las estrellas y allí brillan los luceros.

*E*l cristiano es un testigo de Cristo; su vida ha de ser un viviente testimonio de su fe; debe sentir como dichas a él las palabras del apóstol a su discípulo: "Procura ser modelo para los fieles en la palabra, en el comportamiento, en el amor, en la fe, en la pureza de vida" (1 Tim 4,12).

Y a otro discípulo le repetía: "Da tú mismo ejemplo de buena conducta, en lo que se refiere a la pureza de doctrina, dignidad, a la palabra sana e inobjetable, para que el adversario quede confundido no teniendo nada malo que reprocharnos" (Tit 2,7-8).

> Ya soy de Dios,
> a Cristo me encontré;
> ya piso fuerte,
> veo con claridad
> que Dios es nuestro Padre,
> que nos ama de verdad.

ABRIL

Cristo ha resucitado
y con Él todo
ha cobrado nueva luz.

¡Aleluya!

Piensa en ti y piensa en los demás; tú tienes tu personalidad y tus necesidades y conveniencias, pero los otros también tienen las suyas.

Aun cuando pienses en ti, siempre debes pensar en plural, pues tú no estás aislado en la sociedad, sino que estás en medio de los que te rodean. Pensar en singular puede ser la mayoría de las veces una velada expresión de egoísmo, que no dejará de ser reprobable.

Pensar en plural, aun en tus cosas personales, dará a éstas una proyección de comunidad, te ayudará a no cerrarte dentro de ti mismo y de tus cosas personales, te proyectará hacia el mundo, hacia la humanidad.

Pensar en plural aumentará la posibilidad de acción de tu parte y elevará tu ideal de vida, pues si las fuerzas unidas son invencibles, los ideales unidos son más puros e irresistibles.

Piensa, pues, en plural, que tienes que salvarte tú, pero que debes salvarte "en racimo", con todos los demás.

"*Todos los creyentes... acudían al templo todos los días con perseverancia y con un mismo espíritu partían el pan en sus casas y comían juntos con alegría y sencillez de corazón. Alababan a Dios y eran queridos por todo el pueblo. El Señor acrecentaba cada día la comunidad con aquellos que iban a salvarse*" (Hch 2,46-47). *Esa alegría es el gozo que sigue a la fe.*

Abril 2

Con un ideal en tu vida, te sentirás más feliz y "pisarás más fuerte en tu vida".

Un ideal que polarice todos tus esfuerzos y tus pensamientos; un ideal que oriente todas tus acciones; un ideal que sea el palo mayor de la nave de tu vida.

El ideal, aunque no llegues nunca a conseguirlo, siempre te hará bien; al fin y al cabo, en eso consiste el ideal: en tender siempre hacia adelante; un ideal que se consigue, ya deja de ser ideal y debe ceder el puesto a otro verdadero ideal aún no conseguido.

El hombre sin ideal es viajero sin brújula; los hombres sin ideal son un rebaño sin pastor y sin camino; perder el ideal es perder el rumbo, y perder el rumbo es exponerse a desastres, a pérdida de tiempo y de esfuerzos, a toparse en última instancia con la desilusión; es exponerse a que el cansancio se apodere de la vida y entonces la vida ya no tiene sentido ni aliciente; ya no se ve por qué seguir adelante, ni para qué.

T u ideal como cristiano tiene que ser la Vida de la gracia; cumplir la misión del Maestro Jesús, que dice: "Vine para que tengan Vida y la tengan en abundancia" (Jn 10,10).

No basta con querer una cosa; es indispensable poner los medios para alcanzarla; porque querer una cosa y no poner los medios, una de dos: o es una simpleza o es una cobardía.

Una simpleza que pretende alcanzar las cosas sin esfuerzo, sin trabajo, sin emplearse a fondo; o una cobardía, que no deja desarrollar las fuerzas del espíritu, las inhibe, afloja los resortes de la voluntad.

El que lucha y al mismo tiempo confía en Dios, llegará a la victoria; el que se esfuerza y también tiene fe en sus propios esfuerzos, va por buen camino; el que se emplea a fondo con optimismo y no mira tanto al trabajo cuanto al éxito que coronará el trabajo, es digno de que Dios mismo esté de su parte y lo apoye.

Y si Dios está de su parte, ya puede dar por descontada la victoria; victoria que no llegará quizá por sus esfuerzos sino por la ayuda de Dios; pero ayuda de Dios que exige que nosotros pongamos nuestros propios esfuerzos.

"*E l Reino de los cielos sufre violencia y los violentos lo conquistan*" (Mt 11,12). *No se habla de la violencia contra los demás, sino contra sí mismo; aquella violencia que es la renuncia al propio egoísmo, a las propias conveniencias y comodidades. No estará de más que te examines si haces violencia a los demás, en lugar de hacértela a ti mismo.*

Abril 4

Razonamos con frecuencia; no tan frecuentemente tenemos razón; porque son dos cosas muy distintas razonar y tener razón.

Razonamos cuando discurrimos y defendemos nuestra posición, damos argumentos para hacer ver que nuestra actitud es la más correcta, la más conveniente, la única que debe imponerse. Eso es razonar: dar razones, presentar argumentos.

Pero no siempre que razonamos tenemos razón; porque a veces hasta nosotros mismos sospechamos que no tenemos razón y, sin embargo, seguimos en nuestra posición, la defendemos pese a todo.

¿Por qué será? ¿No habrá allí buena dosis de soberbia, de engreimiento, de orgullo que nos impide dar el brazo a torcer? ¿Y no empleamos entonces la razón en nuestras argumentaciones, precisamente para cohonestar una sinrazón?

Los argumentos siempre necesitan de la razón para ser verdaderos y honestos; la razón no siempre necesita de los argumentos, pues se impone por sí misma, por su misma fuerza, por el peso de la verdad.

"*Los exhorto a vivir de una manera digna de la vocación que han recibido, con mucha humildad, mansedumbre y paciencia, soportándose mutuamente por amor. Traten de conservar la unidad del Espíritu con el vínculo de la paz*" (Ef 4,1-2).

Un hombre sin ideal da lástima. Fracasará en su estudio, en su trabajo, en su acción; el ideal es una ilusión; no tener ideal es no tener ilusión en la vida; y no tener ilusión es estar desilusionado; y por cierto que debe ser muy triste vivir desilusionado.

Pero no basta que cada uno de nosotros tenga un ideal para su vida; es preciso agruparnos, que cada conjunto de personas tenga un ideal común a todos. De lo contrario, cada uno buscará su ideal personal de un modo aislado y prescindiendo de los demás.

Si cada uno tiene su ideal prescindente del de los demás, será una pieza, pero una pieza que no sabrá cómo encaja con las otras; pasará toda su vida en el estudio y análisis de las piezas sueltas; quizá al término de su vida pueda alcanzar a ver cómo encajaban todas las piezas; es mejor verlo cuanto antes, a fin de gozar de la satisfacción de sentirse útil al conjunto; el aislamiento de las piezas las inutiliza; la trabazón de las mismas las perfecciona.

"*Si sufre un miembro, todos los demás sufren con él; si un miembro es honrado, todos los demás participan de su alegría*" (1 Cor 12,26). *El interés de todos es el interés de cada uno, y el de cada uno es de todos. Todos para cada uno, y cada uno para todos; nada humano es ajeno a nosotros; doloroso o gozoso, todo lo que un hombre sufre o goza en cualquier parte del mundo, es algo que nos debe tocar en lo más íntimo.*

Abril 6

Quieres conocerte a ti mismo en profundidad; no siempre lo consigues. Pretendes llegar a conocer a los demás con acierto; también sueles equivocarte con frecuencia.

Yo te diré por qué: no podrás llegar a comprender a los otros, si primero no te conoces a ti mismo y te comprendes; y no te comprenderás a ti mismo si no te esfuerzas por comprender y aceptar a los otros; hay en esto algo así como una simbiosis enriquecedora.

Pero piensa que a ti mismo puedes llegar a conocerte con más o menos adecuado conocimiento pero será muy difícil que llegues a conocer de ese modo a los demás, por la sencilla razón de que ellos no son tú y tú no eres ellos. Siempre hay una intimidad reservada para el propio yo, que nadie debe violar.

De todo esto debes deducir que nunca debes juzgar a nadie; que siempre has de suponer en todos rectitud de intención y bondad de voluntad; no temas, aun cuando te equivoques, no errarás.

"*El amor es paciente, es servicial; el amor no es envidioso, no hace alarde, no se engríe; no procede con bajeza; no busca su propio interés; no se irrita; no tiene en cuenta el mal recibido; no se alegra de la injusticia; sino que regocija con la verdad. Todo lo disculpa. Todo lo cree. Todo lo espera. Todo lo soporta*" (1 Cor 13,4-7). *Hermoso test para un acto de introspección.*

No es tan fácil acertar en la posición o actitud que adoptemos respecto de nuestro prójimo:

—podemos prescindir de él; es una posición simplista; pretende solucionar los problemas de un solo corte; el prójimo en su casa y nosotros en la nuestra; esta posición no es solución y aun empeora nuestra posición;

—podemos tener en cuenta al prójimo como si fuera un juguete con qué entretenernos; cuando nos sirve para el juego, bien; si no sirve, se deja; hemos caído al abismo del egoísmo y la injusticia;

—podemos tener al prójimo como un peldaño que puede ayudarnos en nuestra escalada de posiciones, que mejore nuestra situación personal, familiar o social; esto ya es repugnantemente injusto;

—podemos y debemos tener al prójimo como un semejante nuestro; lo mismo que nosotros, con derechos humanos; lo mismo que nosotros, verdadero hijo de Dios.

"El amor de Cristo nos apremia al considerar que si uno solo murió por todos, entonces todos murieron. Y él murió por todos, para que ya no vivan para sí mismos los que viven, sino para aquel que murió y resucitó por ellos" (2 Cor 5,14-15). *Y si Cristo murió por nuestros hermanos, y nosotros debemos imitar a Cristo, ¿no deberemos también nosotros morir por ellos? Porque morir por ellos es acrificar algún gusto personal para que ellos se lo den; renunciar a aferrarnos a nuestro criterio para considerar el de ellos, etcétera.*

Abril 8

No serás feliz si eres estudiante y no estudias; si eres trabajador y no trabajas; si eres profesional y no cumples con tu profesión; en ninguno de estos casos serás feliz.

No serás buena persona si eres superior y no sabes obedecer a tus respectivos superiores, ni mandar a tus subordinados; si eres esposo y no respetas y tratas con cariño a tu esposa; si eres hijo y no atiendes minuciosamente a tus padres, quizá ya ancianos; si eres cristiano y no eres testimonio de Cristo; en ninguna de esas circunstancias puedes tenerte como buena persona.

Para ser feliz hay que ser bueno, pues la felicidad es una consecuencia de la buena conciencia; y es la buena conciencia la única que nos puede certificar de nuestra bondad.

Bondad y felicidad: dos realidades que entre sí se relacionan, que se entremezclan, que interdependen; buscar o pretender una sin la otra es desviar el camino, es equivocar la ruta, es condenarse a no poseer ni la una ni la otra.

*C*uando un cristiano cobra conciencia de que es hijo de Dios, no puede menos de rezar con los salmos: "¡Alégrense, justos, en el Señor, griten de gozo todos los rectos de corazón!" (Sal 32,11). "Alégrense justos en el Señor alaben su santo Nombre!" (Sal 97,12). "Se alegrarán los que en ti se refugian, y siempre cantarán jubilosos tú proteges a los que aman tu Nombre, y ellos se llenarán de gozo" (Sal 5,12).

Es malo ser tonto, pero es tonto ser malo. Solamente el hombre bueno, el que cultiva en su espíritu sentimientos de bondad para sí y para los demás, es el hombre verdaderamente sabio.

Los tontos no pueden ser buenos; aunque no debes confundir ser tonto con ser poco culto o no ser erudito; por otra parte, los buenos nunca son tontos, pues han sabido captar la verdadera sabiduría, que no es la del mundo sino la de la bondad.

Si, pues, eres bueno, ¿por qué temes a Dios? Siendo Dios como es, infinitamente bueno, nadie puede tener miedo o temor de Él; si tú le temes, es porque no eres bueno y, al ser malo, piensas que Dios es como tú.

No le tengas miedo a Dios; si le temes, que solamente sea un temor que brote del amor que les tienes: un temor de disgustarle, porque Él es tu Padre y nunca está demás temer disgustar a Aquel que amamos profundamente.

"*E ntre los hombres rectos se encuentra el favor del Señor*" (Prov 14,9). "*El necio no trama más que el pecado; el insolente se hace abominable a los hombres*" (Prov 24,9). *De Job pudo escribirse: "Había un hombre llamado Job: hombre íntegro y recto, temeroso de Dios y alejado del mal*" (Job 1,1). *Y del patriarca San José se hace la mejor canonización al llamarlo* "*hombre justo*" (Mt 1,19).

Abril 10

¿Qué será mejor: tener razón o tener buena voluntad? ¡Pocas veces decimos de los otros: "Tiene razón"!

Sin embargo, no es sensato pensar que uno siempre tiene razón y los demás siempre están equivocados. Como tampoco será sensato pensar que lo que nosotros no entendemos, o no es verdadero o no es bueno.

Muy fácilmente los que no tienen buena voluntad piensan que tampoco la tienen los demás: "Piensa el ladrón que todos son de su condición"; cuando a nosotros nos mueven intenciones torcidas, es cuando más fácilmente sospechamos de los demás. Y con eso no solamente pecamos contra la caridad, sino también contra la justicia.

Aunque en determinado caso tengamos nosotros la razón, vale la pena ceder nuestro modo de ver las cosas y conservar más bien la buena voluntad. Al fin y al cabo, cuando termines tu vida no se te juzgará por tu razón sino por tu buena voluntad.

"Todo lo que es verdadero y noble, todo lo que es justo y puro, todo lo que es amable y digno de honra, todo lo que haya de virtuoso y merecedor de elogio, debe ser tenido en cuenta. Pongan en práctica lo que han aprendido y recibido, lo que han oído y visto en mí, y el Dios de la paz estará con ustedes" (Flp 4,8-9).

Cuando tienes hambre, te hallas molesto mientras no satisfaces tu apetito; ¿no sientes que algunas veces tu espíritu también está hambriento?

Claro está que si tu cuerpo se alimenta de pan y carne, tu espíritu tiene su alimento propio, que será la verdad y el bien; piensa y detente a sentir las necesidades de tu espíritu.

Cuando tu cuerpo se halla cansado, agotadas las fuerzas, también te sientes bien; pero no estará de más el caer en la cuenta de que, en otras ocasiones, es tu espíritu el que puede sentir el cansancio, el agotamiento, la desilusión, el descontento de ti mismo, cuando has llegado a comprobar que no eres lo bueno que deberías ser.

Te propongo esta sencilla oración: "Señor, haz que si siento hambre y sed y cansancio, no los sienta en mi espíritu; que siempre te busque a Ti, que eres capaz de calmar todas mis ansias".

*E*l hambre de Dios no es menos inquietante que el hambre de pan; son muchos los que sacian su apetito, pero viven inquietos por el hambre de Dios. "Enviaré hambre sobre el país, no hambre de pan, ni sed de agua, sino de escuchar la Palabra del Señor. Entonces vagarán de mar a mar, irán de norte a este andarán errantes buscando la Palabra del Señor, pero no la encontrarán." (Am 8,11-12). ¿No estarás llamado tú a ofrecer esa Palabra?

Abril 12

No es humano ni cristiano juzgar que el dinero es algo malo; el dinero tiene un valor propio, que es bueno reconocer; en la escala de valores ocupa un lugar.

Pero el trabajo también es un valor y ocupa su puesto propio en la escala de valores.

Pero tanto el dinero como el trabajo son valores relativos, no absolutos; todo dependerá del uso que se haga de los mismos y de la finalidad que se les dé. El dinero empleado para hacer el bien y obrar la justicia es un medio de practicar las virtudes humanas y sociales. El trabajo orientado hacia la realización, no sólo de la materia, sino también del hombre, es un medio de propia superación.

De ahí que tanto uno como otro necesiten ser orientados para que puedan permanecer en la escala de valores y no se conviertan en algo negativo, dañino.

Está bien, pues, que te agrade el dinero y el trabajo; pero estará mejor que te agrade el buen uso de ambos.

"*A muchos perdió el oro, hasta los corazones de los reyes descarrió*" (Eclo 8,2). "*Muchos se arruinaron a causa del oro, su perdición la tenían delante*" (Eclo 3,6). "*Feliz el rico que se conserva íntegro, y no corre detrás del oro*" (Eclo 31,8).

En el mundo hay más cosas hermosas que feas. Y hay una posibilidad favorable o desfavorable: que a las cosas buenas las puedes corromper, y a las cosas malas las puedes tornar buenas.

Está, pues, en tus manos el que haya más hermosura en el mundo: primero, si reconoces y valoras las muchas cosas hermosas que ya existen; segundo, si te esfuerzas por mejorar las cosas malas que también indudablemente existen.

Lo que te digo de las cosas hermosas o feas, exactamente hay que afirmarlo de las cosas buenas o malas; al fin y al cabo las cosas buenas son hermosas y las cosas malas son feas.

Esfuérzate, en consecuencia, por hermosear, por hacer buenas todas tus acciones, tus pensamientos, tus sentimientos, tus reacciones, todo tu ser, toda tu vida; y así indudablemente habrás contribuido a mejorar y hermosear el mundo; al fin y al cabo, vale más encender un fósforo que maldecir la oscuridad, encender una hoguera que quejarse del frío, hacer el bien que perseguir al mal.

L as cosas pueden ser mejores, pero está en manos del hombre el hacerlas mejores de lo que son; e indudablemente las cosas agradan más cuanto mejores son: no es lo mismo una flor ajada que una en todo su esplendor. El autor de la carta a los Hebreos les decía: "De ustedes esperamos cosas mejores, las que conducen a la salvación" (Heb 6,9).

Abril 14

Nadie es totalmente perfecto; todos tenemos nuestras limitaciones, que no serán producto de una mala voluntad, pero sí fruto de la humana naturaleza, débil e imperfecta.

Hasta el sabio más sabio reconoce que hay cosas que ignora; más aún: cuando más sabio es, más reconoce y lamenta el mundo ilimitado al que no alcanza con sus conocimientos, incluso en su propia especialidad.

Hasta el santo más santo reconoce que tiene sus defectos e imperfecciones; más aún, cuanto más santo es, tanto más humillado se siente, pues ve y lamenta que le falta mucho para llegar a conseguir la perfección.

No temas, por lo tanto, reconocer en ti limitaciones, imperfecciones y defectos; reconócelos y siéntelo profundamente. Si pensaras que no tienes defectos, sería argumento irrebatible para probar que distas mucho de la sabiduría y la santidad; si lo reconoces, estás demostrando sin palabras, pero con hechos, que tiendes a ambas cosas: al saber verdadero y a la santidad.

E *l esfuerzo por la propia perfección es una tácita confesión de las propias deficiencias.* "¿Puede un mortal ser justo ante Dios? ¿Ante su Creador es puro un hombre?" (Job 4,17). "¿Cómo un mortal podría tener razón contra Dios? Si pretende disputar con Él, no podría responderle ni una vez entre mil" (Job 9,2-3).

Se necesita mucha mayor fortaleza y dominio de sí mismo para ser bueno que para ser malo; hay que ser mucho más valiente para guardar fidelidad al deber que para quebrantarlo; se precisa un esfuerzo más vigoroso y constante para remar contra corriente que para dejarse llevar río abajo.

La ley de la gravedad tira hacia abajo: los instintos tiran hacia abajo; el peso de la comodidad nos deja en el llano; solamente el empuje del motor es el que posibilita ascender a las alturas o impulsarse hacia adelante.

Si en tu vida te dejas llevar por instintos e inclinaciones, por comodidades o conveniencias, no podrás volar a gran altura; tu vida se convertirá en rastrera, de bajo vuelo, de muy limitada visión, de horizontes muy recortados.

Es siempre más hermoso y más provechoso aspirar a las alturas oxigenadas que a las miasmas de los pantanos; se divisa siempre un panorama más cautivador desde arriba que desde ras de tierra.

Ánimo, y adelante ¡siempre hacia arriba en tu perfección!

"*Ahora puedes, Señor, según tu palabra, dejar que tu siervo se vaya en paz, porque han visto mis ojos tu salvación, la que has preparado a la vista de todos los pueblos, luz para iluminar a las naciones y gloria de tu pueblo Israel*" (Lc 2,29-32). *Cristo te posibilitará tu perfeccionamiento.*

Abril 16

A veces se habla con equívocos de las pasiones: se dice que uno no debe ser hombre de pasiones, o dejarse llevar por las pasiones.

Hay pasiones buenas y malas; si lo quieres expresar con mayor exactitud, las pasiones ni son buenas ni son malas: son fuerzas que podemos emplear para el bien o para el mal; el bien o el mal no está en las pasiones, sino en nosotros, que las dirigimos al bien o al mal.

La pasión empleada para el mal, ciega y arrastra a la razón. La pasión buena es la que da fuerza para la práctica del bien.

Vivir mal es dejarse arrastrar por la vida, por la pasión descontrolada; en cambio, vivir bien, ser apóstol, es orientar toda la fuerza de una pasión hacia el bien, hacia la acción apostólica, hacia la cumbre del propio perfeccionamiento.

¿Crees que se puede avanzar hacia Dios sin el empuje de una pasión viva y arrolladora? Los grandes criminales han sido hombres de grandes pasiones; pero sólo los hombres de grandes pasiones han llegado a la santidad; todo depende de cómo se empleen esas pasiones.

"*La voluntad de Dios es que sean santos, que se alejen del pecado, que cada uno sepa usar de su cuerpo con santidad y respeto, sin dejarse dominar por al pasión, como hacen los paganos, que no conocen a Dios*" (1 Tes 4,3-5).

Muchos ponen toda su esperanza en morir bien; no sé qué sentido le hallas tú a esta frase: "morir bien"... ¿Morir sin dolor? ¿Morir con una enfermedad corta? ¿Morir rodeado de los tuyos?

Morir bien es, sobre todo, morir con la conciencia tranquila, sin angustias espirituales, que son mucho más torturantes que los dolores del cuerpo. Morir bien es morir en paz con Dios y con los demás; es morir de tal forma, que todos sientan tu muerte y nadie tenga motivo para alegrarse de ella.

Por eso me atrevo a afirmarte que lo principal no es morir bien, sino vivir bien; porque debe ser muy triste llegar al fin de la vida arrastrando tras de sí una secuela de odios, de amarguras producidas a los que nos han rodeado, de injusticias con todos, de egoísmos y cosas parecidas; en cambio llegar a la hora de la muerte con la conciencia de haber cumplido con nuestro deber durante la vida, con la seguridad de haber vivido bien, es lo que convierte el momento de la muerte en un pasar de la vida con minúscula a la Vida con mayúscula, de los brazos de los hombres a los brazos de Dios; y esto nunca puede ser desagradable, ni doloroso.

N os dice San Pablo: "Si el Espíritu de aquel que resucitó a Jesús habita en ustedes, Él dará vida a sus cuerpos mortales" (Rom 8,11)¿Vives con esta certeza?

Abril 18

La mejor voz de mando es el ejemplo; el mejor argumento y la más convincente razón que robustece tus palabras, es el ejemplo de tu vida.

Quizá notes que no siempre convences con tus palabras; será porque no siempre tus obras son acordes con tus palabras y entonces el ejemplo de tu vida deshace la fuerza de tus palabras.

Tus hijos, tus empleados, tus amigos, las personas con las que de una u otra forma tienes relaciones, o en las que ejerces alguna influencia, están esperando tus palabras; pero éstas serán ineficaces si no van precedidas del ejemplo de tu vida.

Palabra y testimonio, razones y ejemplos; las palabras convencen, los ejemplos arrastran. Piensa, pues, si te ha faltado el arrastre; tú lo atribuiste o a dureza del corazón de los que te escuchaban o a falta de preparación intelectual tuya, cuando en realidad no se debió a ninguna de esas dos causas sino a la ausencia de tus ejemplos, a la incoherencia de tu vida.

Juan dio testimonio de lo que vio y oyó y su testimonio fue verdadero: "Este es el discípulo que da testimonio de estas cosas y el que las ha escrito, y sabemos que su testimonio es verdadero" (Jn 21,24). Los que nos rodean deben ver que nosotros somos testimonio de Cristo y deben convencerse, sin dificultad, de que nuestro testimonio es verdadero; pero no lo será si primero no hemos llegado a poseer un espíritu verdaderamente conforme al Espíritu de Cristo.

Cuando hablas con los tuyos, cuando les respondes, cuando les llamas la atención, cuando les exiges algo, les sueles gritar, ¿verdad? Te pregunto: ¿por qué gritas?

Me dices que tienes la razón. Si tienes la razón, ¿para qué quieres los gritos? ¿La razón necesita de los gritos para ser reconocida y aceptada? Entonces la razón que tienes es muy débil; no necesitaría de gritos, ni de otra cosa, si fuera suficientemente fuerte.

Si no tienes razón, ¿para qué gritas? ¿Es que pretendes imponerte por los gritos sin tener razón? No te ilusiones, nunca los gritos fueron convincentes; harán callar a los que están a tus órdenes, pero no los convencerán; y hacerte obedecer de alguien que no esté convencido es imposible.

Si tienes la razón y expones la razón solamente con la fuerza del convencimiento, será efectivo y llegarás mejor al corazón de los demás.

"Toda la ley está resumida plenamente en este precepto: "Amarás a tu prójimo como a ti mismo". Pero si ustedes se están mordiendo y devorando mutuamente, tengan cuidado porque terminarán destruyéndose los unos a los otros" (Gal 5,14-15).

Abril 20

No busques amigos sin defectos, pues te quedarás toda la vida sin amigos; tampoco busques los defectos de tus amigos, pues poco a poco te irán dejando y te quedarás solo.

No ames a tus amigos porque no tienen defectos; ámalos aun a pesar de sus defectos; y, si quieres, ámalos precisamente por sus defectos, por cuanto el hecho de que tengan defectos quiere decir que son más humanos.

No pretendas exigir a tus amigos que sean mejores que tú; si ciertamente lo son, agradece y aprovecha sus ejemplos y su influencia bienhechora; si no lo son, respétalos y ofréceles tu ayuda para que se mejoren; pero con paciencia, con comprensión, con bondad, con sumo respeto a la personalidad de ellos.

No pretendas cambiar a tus amigos; déjalos que sean como Dios los ha hecho; pero no te preocupes si tú no eres como ellos; también tú tienes derecho de ser como Dios te hizo; eso sí, tanto ellos como tú serán "como Dios los hizo" y no como los deshizo el pecado de la soberbia y del egoísmo. No conviene deshacer la obra de Dios.

"*E l amigo fiel es un refugio seguro; el que lo encuentra, ha encontrado un tesoro. Un amigo fiel no tiene precio; no hay manera de apreciar su valor. Un amigo fiel es un bálsamo de vida, que encuentran los que temen al Señor*" (Eclo 6,14-16). *Tu grupo de amigos es algo que debes conservar, porque lo necesitan tú y ellos.*

Abril 21

Triste cosa es morir, sin haber sabido vivir; triste cosa es vivir, sin llegar a aprender a morir.

Ambas cosas se relacionan tanto entre sí, que es imposible separarlas; has de vivir sabiendo que vas a morir; has de llegar a morir con la alegría de haber sabido vivir.

Vive de veras el que no centra en el momento presente lo que hace sino que ha aprendido a darle un sentido de proyección hacia más adelante: el que quiere ser cada día un poco mejor, el que se esfuerza por ir mejorando las condiciones de su hogar, el que anhela un mundo mejor, unas relaciones más humanas y más cristianas entre los hombres.

El momento arrastra los lastres del pasado y se proyecta hacia el porvenir...

Mira que importante es hacer bien lo que estás haciendo en este momento, pues tendrá proyección en el porvenir. Esto es lo que se llama "vivir en prospectiva".

"*Ustedes ahora están tristes, pero yo los volveré a ver y tendrán una alegría que nadie les podrá quitar*" (Jn 16,22). *Lo que vivimos no tiene límites cerrados, todo tiene su proyección escatológica, todo está ordenado al futuro Reino de Dios, futuro que tú debes hacer ya presente en el mundo que te ha tocado vivir.*

Abril 22

Es ilusión planear mucho y no hacer nada; es reprobable no planear nada y no hacer nada; tampoco se puede aceptar el hacer algo sin antes haberlo planeado.

Quizá sea más prudente planear algo y luego realizar eso que se ha planeado; si planeas más de lo que puedes llegar a hacer, te sentirás decepcionado; si haces más de lo que planeas, podrás equivocarte y por ello sentirte humillado.

Vivir sin hacer nada es no ser hombre; vivir haciendo las cosas sin planearlas, sin pensarlas, no es obrar conforme corresponde a un hombre; solamente el hombre que está lanzado a la acción, pero a una acción pensada y planeada, es el que obra racionalmente, como corresponde a todo hombre.

Vivir pensando solamente en esta vida, es tener muy cortas aspiraciones y visión muy limitada; vivir pensando su trascendencia, en el sentido de lo que obramos, es ser prudente y ser cristiano. No te contentes con ser hombre; trata de vivir como cristiano.

"*Les rogamos y les exhortamos en el Señor Jesús, que vivan conforme a lo que han aprendido de nosotros sobre la manera de comportarse para agradar a Dios, y hagan mayores progresos todavía*" (1 Tes 4,1). *Dios nos dio a conocer su voluntad en cierto momento decisivo de nuestra vida, que seguramente recordaremos siempre; aprendimos a conocer a Dios; ahora debemos vivir en conformidad con aquel conocimiento y en un continuo progreso.*

Tú te fías de todos y, con no poca frecuencia, te ves desilusionado; otros no se fían de nadie y viven en un continuo sobresalto; habrá que buscar un justo equilibrio.

El equilibrio consistirá en confiar en aquellos que han merecido tu confianza, de quienes estás moralmente seguro de que no recibirás una infidelidad.

Pero mira que los demás también observarán contigo esta misma norma: se confiarán en ti, siempre y cuando tú merezcas que ellos se fíen de ti, depositen en ti su confianza; esa confianza hay que saberla ganar y conservar.

Perder la confianza de los demás puede llegar a constituir para ti una verdadera crisis; perder la confianza que tienes en los otros puede producirte no pocos sinsabores; tú recogerás lo que siembres, te darán lo que des, recibirás lo que merezcas.

Y si, en algún caso, no eres correspondido, siempre te quedará la satisfacción de haber sido como debías ser.

A ntes que en nadie, debemos poner nuestra confianza en el Señor, pues sabemos que Él nunca nos va a fallar. "Acerquémonos confiadamente al trono de gracia, a fin de alcanzar misericordia y encontrar la gracia de un auxilio oportuno" (Heb 4,16).

Abril 24

No es lícito confundir "comunión" con "comunismo".

El comunismo hace camaradas; la política podrá llegar a agrupar compañeros; pero solo la comunión humana es la que hace verdaderos hermanos; y solamente la comunión con Cristo y en Cristo es la que vuelve a esos hermanos *hermanos en Cristo*, auténticos cristianos.

La comunión supone una unión de ideales, de sentimientos, de mentalidad, de meta final; la comunión es obra del entendimiento; pero es sobre todo el corazón el que se encarga de unir mentes, ideales, metas y sentimientos.

Comunión, *común-unión*, unión de todos en un solo fin, como estamos unidos en un mismo Bautismo, en una misma fe, en un mismo Señor y Padre celestial; Dios es el único capaz de unir de esa forma tan íntima a los hombres.

Por eso, cuando los hombres pretenden unirse entre sí, prescindiendo de Dios, llegarán a cierto comunismo, al compañerismo, a lo sumo a la unión humana, pero nunca a la verdadera fraternidad evangélica.

"*Hagan siempre el bien y compartan lo que poseen, porque ésos son los sacrificios que agradan a Dios*" (Heb 13,16). *Si, entonces, deseo agradar al Señor, ya tengo señalada la norma de mi conducta: ayudar a los demás y ofrecer el sacrificio en común con mis hermanos; la oración en común.*

No hay cosa que Cristo nos recomiende tanto en su Evangelio como la unión entre todos los cristianos; es que el mundo necesita del testimonio de unidad que nosotros, los cristianos, debemos darle, a fin de llegar a conseguir que todos los hombres caigan en la cuenta de que son hermanos y, en consecuencia, se tengan como hermanos, se respeten como hermanos, se ayuden como hermanos.

Que el hombre deje de mirar al semejante como un enemigo, o al menos como un rival que pugna por apoderarse de la parte de felicidad que a él corresponde.

Que se convenza el hombre de que él no podrá ser verdaderamente feliz, sino en cuanto contribuya a que los demás también lo sean. "Esten siempre unidos en unos mismos sentimientos y deseos"; si esta recomendación de la Biblia fuera cumplida y vivida por todos los hombres, la tierra sería un paraiso y las relaciones humanas producirían la felicidad para todos los hombres.

"No hablen mal los unos de otros, hermanos. El que habla mal de un hermano o lo juzga, habla en contra de la Ley y la condena; y si condenas a la Ley, no eres un cumplidor de la Ley, sino juez de la misma" (Sant 4,11). No hablar mal de nadie: tema para nuestra frecuente reflexión y examen.

Abril 26

Es todo un arte el saber callar: cuándo, dónde y cómo se debe callar. Ese arte no lo enseña ni la ciencia, ni la reflexión, sino la propia vida.

Más te arrepentirás de hablar que de callar; aunque a veces será un verdadera obligación el que hables y callar entonces será para ti vergonzoso.

Calla cuando debes callar; jamás hables cuando no debas hablar o cuando no sea prudente que hables; espera el momento oportuno, para que entonces tu palabra sea beneficiosa; mientras tanto, conserva tu silencio.

Calla cuando te halles nervioso, apasionado, no dueño de ti mismo, muy irritado o indignado; no es el momento, no es la circunstancia propicia para que hables; en esos casos el silencio es la única actitud que puedes tomar; si hablas, te arrepentirás tarde o temprano; ¿para qué hacer algo de lo que luego deberás arrepentirte?

Calla, pero que tu silencio no sea hostil, sino amable; que calle tu boca, pero que tu rostro hable con la sonrisa de la bondad y de la comprensión.

"*Hay un momento para todo y un tiempo para cada cosa bajo el sol... un tiempo para callar y un tiempo para hablar*" (Ecl 3,1-7). *Trastocar los tiempos no es prudente y a nada positivo conduce.*

Lo más fatal que puede ocurrirle a uno es tener razón y no saber usar de ella.

Porque, al tener razón, se abroquela en ella de forma tal que no admite ciertos derechos que tienen los demás: derecho a pensar como ellos creen que deben pensar; derecho a defender lo que ellos juzgan como justo y verdadero; derecho a disentir de él; derecho a ver la verdad desde su punto de vista; en una palabra: derecho a pensar que ellos también tienen razón.

Y así es como surgen las peleas y discusiones acaloradas; examínate con detención y verás que la mayoría de las veces que has discutido de tal forma que la discusión ha llegado a turbarte, ha sido porque pensabas que tú tenías razón; pero no has sabido usar rectamente de tu razón y en esto ya no tenías razón.

Pues, si haces bien en defender tu razón, no haces bien en defenderla de esa forma violenta, agria, incisiva, nada caritativa; y no es la razón la que debe mandar en tu vida, sino el amor; el amor, que ama con razón y sin ella.

Tres veces seguidas le pidió Jesús a Pedro que le dijera si lo amaba y entonces Pedro "se entristeció de que por tercera vez le preguntara si lo quería, y le dijo: «Señor, tú lo sabes todo; sabes que te quiero»". (Jn 21,17). No tres, sino infinitas veces debes repetirle al Señor que lo amas.

Abril 28

Interesa lo que eres, porque ante tu conciencia y ante Dios es eso precisamente lo que vales; tú ves tu conciencia y Dios penetra el fondo de tu corazón.

Pero también interesa lo que piensas, pues, según pienses, se irá formando tu interior; ya sentenciaron los antiguos: "Dime lo que piensas y te diré quién eres".

Interesa también lo que sientes, pues las obras son fruto de los sentimientos, si bien los sentimientos proceden de las obras.

Interesa también lo que hablas, pues de la abundancia del corazón habla la boca; las palabras son los medios de comunicación de nuestra intimidad con los demás; no podemos comunicar una intimidad mezquina o raquítica; es preciso estar en disposición de poder comunicar algo positivo, una intimidad rica y enriquecedora, que lleva al bien y entusiasmo para la acción.

Todo -lo que hablas, lo que piensas, lo que sientes- constituye tu yo, y todo tu yo debe estar al servicio de los demás.

"*Los impíos llegarán atemorizados cuando se haga recuento de sus pecados y sus iniquidades se levantarán contra ellos para acusarlos*" (Sab 4,20). "*Díganse mutuamente la verdad; y dicten en sus puertas sentencias que establezcan la paz; no piensen en hacerse mal unos a otros*" (Zac 8,16-17).

Aquí tienes tres metas que puedes proponerte para tu acción diaria; luego no me digas que no sabes qué hacer, cuando te propones hacer algo bueno: no enojarte, no enojar a los otros, deshacer los enojos de los demás.

No enojarte tú por pequeñas o grandes cosas, por sucesos sin relieve o de proporciones llamativas; no enojarte con tus familiares y no enojarte con los que te rodean en el trabajo, o con las personas con las que diariamente debes encontrarte y tratar.

No hacer enojar a los otros: no darles motivo de enojo, de disgustos; no hacer lo que sabes que a ellos les disgusta o les puede ser causa de enojo; no ponerlos en tales circunstancias, que ellos deban hacer esfuerzos para conservar su calma interior.

Deshacer los enojos de los demás: cuando veas que alguien está impaciente, ofrécele un poco de tu paciencia; cuando alguien necesita ser calmado, dale tu palabra de paz y serenidad; cuando alguno se extralimite en sus apreciaciones o expresiones o actitudes, pon tú la cuota de serenidad, de calma, de paz y de amor. Tres metas: un magnífico plan de acción apostólica.

"*Felices los pacientes, porque recibirán la tierra en herencia*" (Mt 5,4). "*Aprendan de mí, porque soy paciente y humilde de corazón, y así encontrarán alivio*" (Mt 11,29).

Abril 30

Alguien debe mandar en tu vida: o mandas tú, o mandan tus pasiones. Si no las dominas, si las dejas sin control, si no limitas su campo de acción o de reacción, serán tus pasiones las dueñas de ti, de tu vida; serán ellas las que manden y tú deberás obedecer y te verás forzado a hacer cosas que quizá no quisieras hacer.

Tus pasiones serán tu dueño: tú serás el esclavo.

Pero si dominas las pasiones, si las encauzas, si encaminas tus instintos y orientas sus fuerzas, serás tú el dueño de tu propia vida. Has de ser un hombre de carácter; si quieres, puedes; y si no puedes, siempre te queda el recurso de pedir la fuerza que necesitas. ¿A quién se la vas a pedir? Al único que te la puede dar; tú sabes que ése es Dios.

El que labra su carácter es un gran artista, pero el que se deja arrastrar por él es un derrotado; y la derrota siempre tiene un gusto amargo y siempre deja un estado anímico de depresión.

"*D*ios, *pasando por alto el tiempo de la ignorancia, anuncia a los hombres en toda partes que deben convertirse...*" (Hch 17,30). *La conversión es algo que debemos estar constantemente realizando; nunca podemos decir que nuestro corazón se ha vuelto definitivamente y del todo al Señor.*

MAYO

Cristo nos envía
a anunciar la
Buena Noticia a
los hombres y su
Espíritu nos acompaña.

¿Te gusta mucho hablar de ti mismo? ¿Por qué será? Quizá porque estás convencido de que vales mucho y quieres que los demás también reconozcan tu valor; eso es vanidad y orgullo.

Quizá porque piensas que los demás no reconocen tus méritos; y si los demás no los reconocen quizá sea porque en realidad esos méritos no son tan reales como a ti te parecen.

¿A los demás les gusta oírte hablar de ti mismo? Si no les agrada, ¿por qué será? ¿No será porque cuando hablas de ti mismo lo haces disminuyendo a los demás? O, si no los disminuyes, ¿no será porque ni siquiera los tienes en cuenta? Y ésa es una manera muy sutil de disminuirlos; y, si los disminuyes de una u otra forma, ¿puedes extrañarte de que no les guste oírte hablar de ti mismo?

Si realmente vales, si tienes méritos y cualidades, no te preocupes, no es necesario que hables de ti; ya verán lo que eres y lo que vales; si no lo ven, no por eso disminuirá tu mérito o se perderá tu valor. Basta que te vea Dios y que te valore Dios.

"*Conviértete al Señor y deja de pecar, suplica ante su rostro y quita los obstáculos; vuélve al Altísimo y apártate de la injusticia*" (Eclo 17,25-26). *Dios es quien te sacará de las tinieblas, para guiarte a la luz de la salvación.*

Mayo 2

Si piensas de ti que no eres muy bueno, estás en disposición de llegar a serlo; si juzgas que no es tanto lo que vales, ya está aumentando tu valor.

Si alcanzas esa disposición para mejorarte y superarte, ya estás en buen camino; si estás en buen camino, ten paciencia, que tarde o temprano llegarás al término que te propones.

Si eres bueno de verdad, nunca sospecharás que alguien sea malo; si lo ves malo, sabrás interpretarlo y excusarlo; lo atribuirás a cien circunstancias, pero nunca a maldad; siempre sabrás ver en su fondo una disposición para la bondad.

Si eres malo, te resultará muy difícil convencerte de que alguien pueda ser bueno de verdad. Todo es del color del cristal con que se mira; si tu cristal está limpio, todo lo verás limpio; si el cristal está empañado, todo se te presentará opaco y sin brillo.

Ya es hora de que llegues a convencerte de que el principal enemigo que tienes lo llevas en tu interior.

"*Busquen al Señor ustedes todos los humildes de la tierra, los que ponen en práctica sus normas; busquen la justicia, busquen la humildad*" (Sof 2,3). "*Así habla el que es alto y excelso: ...Yo habito en una altura santa, pero estoy con el humillado y abatido, para reavivar los espíritus humillados, para reavivar los corazones abatidos*" (Is 57,15).

Ser hombre de convicciones propias debe ser algo así como una meta que te has de proponer conseguir a toda costa.

Sé un hombre de convicciones; no te dejes llevar por los vientos que soplan a tu alrededor; no te fijes en cómo piensan los demás, en cómo obran los demás; porque, si te dejas guiar por los otros, no serás tú quien mande en tu vida sino ellos. Y eso no lo puedes tolerar bajo ningún concepto.

Mantén tus convicciones y sigue con docilidad las indicaciones de tu propia conciencia. ¿Que los demás tienen otras convicciones y que en consecuencia siguen otras normas de conducta? Bien; ellos tienen su conciencia, pero tú tienes la tuya. ¿Que ellos tienen otra escala de valores? Tú tienes la tuya y para ti los valores se ordenan por tu escala y no por la de ellos.

Cuesta ser hombre de convicciones; cuesta más ser fiel a las convicciones de la propia conciencia; pero es la única forma de vivir con dignidad y de vivir la propia vida.

"Tu fe te ha salvado" fue la expresión que el Señor empleaba frecuentemente al sanar a los enfermos; la fe es la que nos va a salvar a nosotros; y a aquella mujer que le pedía la sanara, le respondió: "Mujer, ¡qué grande es tu fe! ¡Que se cumpla tu deseo!" (Mt 15,28). Quizá debas rezar como aquél: "Creo, ayuda a mi poca fe" (Mc 9,24).

Mayo 4

No se puede negar que, pese al ateísmo moderno, el hombre de nuestro siglo está buscando desesperadamente a Dios; tiene hambre de Dios, y esa hambre no se puede calmar sino con Dios.

Si tú buscas a Dios, lo encontrarás ciertamente. Pero ten cuidado, no equivoques el camino, porque en ese caso la culpa de no encontrar a Dios ya no sería de Él sino tuya. Y es equivocar el camino pretender llegar a Dios con los pasos del entendimiento; se va a Él más bien por el amor.

Te extraña que en Dios haya misterios que tú no alcanzas, pero no habría misterios en Dios si Él no fuera infinitamente grande y bueno; o si nosotros no fuésemos tan pequeños comparados con Él; pero, desde el momento en que Él es infinito en su poder y en su bondad y nosotros tan pequeños, es lógico no sólo suponer, sino reconocer misterios en Dios que nosotros no podemos captar. ¿O es que preferirías un Dios pequeño en poder y en bondad, como tú? Porque entonces sí que lo podrías comprender, pero entonces no sería Dios, como tampoco tú lo eres.

"*Hay en el cielo un Dios que revela los misterios*" (Dn 2,28). *El Misterio de Dios es Cristo, el "Misterio escondido desde toda la eternidad y que ahora Dios quiso manifestar a sus santos. A ellos les ha revelado cuánta riqueza y gloria contiene para los paganos este Misterio, que es Cristo entre ustedes*" (Col 1,26-27). *Agradece al Señor que te haya hecho conocer el misterio del amor de Cristo.*

Tú sabes muy bien sabido que todos estamos inclinados a pagar siempre con la misma moneda: ¿por qué no capitalizas ese instinto general?

Si alabas a todos, aun en sus cosas más insignificantes, si siempre tienes para todos palabras de comprensión y estímulo, si miras a todos con ojos de bondad y dejas que ellos brillen, no contra tu voluntad, sino contribuyendo tú a su brillo, ten por seguro que los demás te pagarán con la misma moneda y también tú serás comprendido, serás ayudado, serás bien mirado, recibirás ayuda en todo momento y para todo.

Si te das a todos con plenitud; si sabes negarte satisfacciones para que las tengan los otros; si tu gozo consiste en que gocen los demás, también te devolverán la misma moneda y los otros vivirán para que tú seas verdaderamente feliz.

Da y te darán; date y se te darán. Si bien no debes hacerlo por esa razón, es decir, esperando la recompensa, Dios suele premiar ya en este mundo con la misma moneda que nosotros utilizamos.

"*Tú que pretendes ser juez de los demás -no importa quien seas- no tienes excusa, porque al juzgar a otros, te condenas a ti mismo, ya que haces lo mismo que condenas... Tú que juzgas a los que hacen esas cosas e incurres en lo mismo, ¿piensas librarte del juicio de Dios?*" (Rom 2,1-3).

Mayo 6

Te quejas de que tienes que hacer muchas cosas; te debes prodigar hasta el desgaste; llevas adelante no pocas responsabilidades; tú mismo te enfrascas en no sé cuántas cosas.

No te digo que esto esté mal; si eres un alma grande, si eres una persona generosa, nunca pondrás límite a tu acción en pro de los demás y cuando se trata de hacer algún bien; no está mal; puede estar incluso muy pero muy bien; al fin eso puede llegar a ser darse y darse sin retaceos.

Pero deseo hacerte reflexionar que en ocasiones ese hacer sin medida y sin control puede resultar contraproducente con relación a la calidad de tu acción.

¿No crees que sería mejor hacer muy bien una sola cosa que hacer muchas imperfectamente? Quizá sea preferible dedicarse a menos cosas, pero realizarlas con mayor perfección; no abarcar tanto, pero ser más responsable en las cosas que uno toma como obligación.

" *Te inquietas y te agitas por muchas cosas, y sin embargo, pocas cosas, o más bien, una sola es necesaria*" (Lc 10,41-42). *Piensa si a lo mejor estás preocupándote mucho por ciertas cosas, y quizá estás descuidando lo principal, que es la fidelidad al amor del Señor.*

No me cabe ninguna duda de que tú quieres ser sabio y quieres ser santo: inteligente y bueno.

Para ser inteligente y sabio, deberás estar mucho tiempo solo, estudiando, leyendo, meditando, profundizando en tus conocimientos; para ser santo y bueno, deberás estar con los demás, a fin de moldear tu carácter y de brindarles cuanto eres y cuanto tienes; y, al mismo tiempo, necesitarás ciertos momentos de soledad para penetrar en tu interior, al fin de irte perfeccionando.

Y tanto para ser sabio e inteligente como para llegar a ser bueno y santo, necesitarás estar siempre con Dios, que es la verdadera inteligencia y la santidad por esencia.

Y si llegas a ser sabio y santo, ¿me puedes decir qué más puedes anhelar en tu vida? Ya has cumplido tu misión, ya te has realizado ante tu conciencia, ante tus prójimos y ante Dios.

No pienses ser bueno, si no te entregas a Dios incondicionalmente; no pienses ser bueno sólo porque no hagas el mal; todavía te queda mucho por hacer.

"Yo soy el Señor, su Dios; y ustedes tienen que santificarse y ser santos, porque yo soy santo" (Lv 11,44). *Tres veces repetimos "Santo, Santo, Santo", es decir: santísimo es nuestro Dios; sus hijos no podemos menos de asemejarnos al Padre, pues tenemos su misma naturaleza, que es la gracia, es decir, la santidad.*

Mayo 8

Dios al hombre lo hizo erecto, mirando hacia arriba; sólo el animal tiene inclinada su cabeza hacia la tierra.

A veces te olvidas de esto y te arrastras por la tierra llevado por tu mezquino interés; te arrastras empujado por tus inclinaciones; te arrastras sin horizontes y sin alturas.

Otras veces te dejas arrastrar por los demás; por los que tú juzgas más avivados que tú, más entendidos en las cosas del mundo y de la vida que tú, por los que ves que triunfan con triunfos más visibles y beneficiosos; te dejas seducir por los que tienen más arrastre que tú, sin pensar si ese arrastre es para el bien o para el mal.

No debes dejarte arrastrar; has de caminar erecto, con un ideal bien claro y bien fijo, que oriente todas tus acciones y sea la explicación de todos tus móviles; siempre hacia arriba y siempre con el deseo de mejorar, de propia superación.

" La gracia nos enseña a rchazar la impiedad y a las pasiones mundanas, para vivir en la vida presente con sobriedad, justicia y piedad, mientras esperamos la feliz esperanza y la manifestación de la gloria de nuestro gran Dios y Salvador, Cristo Jesús" (Tit 2,12-13).

Por más que no lo quieras, en tu vida no podrás nunca prescindir del dolor; el dolor es una realidad que no depende de nosotros; se nos hace presente, queramos o no queramos; incluso se nos hace encontradizo cuando menos lo queremos.

Pero si no podemos evitar el dolor, está en nuestras manos el saberle dar un sentido u otro, el adoptar frente a él una y otra posición, muy distinta por cierto una de otra.

Si al sufrir te enojas y protestas, con ello nada bueno consigues; solamente aumentas el sufrimiento y haces daño tanto a tu cuerpo como a tu espíritu en tus relaciones con Dios.

Si al sufrir aceptas el sufrimiento, le das un verdadero sentido, lo conviertes en algo positivo, eficiente, salvador y redentor de ti y de los demás; con ello te estás dignificando.

Si al sufrir llegas a aceptar con amor el sufrimiento, será porque ya te ha acercado a Dios y has llegado a comprender que no es posible amar sin sufrir, ni sufrir sin amar.

"*E*l sacrificio del justo es aceptado y su memorial no caerá en el olvido; glorifica al Señor con generosidad y no mezquines las primicias de tus manos*" (Eclo 35,6-7). El justo ha de convertir el mero dolor en auténtico sacrificio ofrecido al Señor con amor y por amor.*

Mayo 10

La verdad y la mentira se parecen poco; más bien son contrarias en todos sus aspectos.

La mentira suele ser más bonita y suena mejor a nuestros oídos; es más atrayente, más halagadora; si te dicen que eres sabio, que eres bueno, que eres simpático y cosas por el estilo, indudablemente te halaga, te suena bien, pero quizá no sea tan cierto y en consecuencia no te hará bien, no te ayudará a tu perfeccionamiento; al contrario, podrá ser un obstáculo para el mismo, pues llegarás a creer que lo que dicen es verdad y en consecuencia ya no pondrás mayores esfuerzos por mejorarte.

Pero cuando te dicen la verdad suele ser bastante desagradable, poco atrayente, amarga, humillante; de todos modos, una vez que ha pasado el primer momento de desagrado, si te pones a pensar con detención verás que es más productivo hacerte caer en la cuenta de todo lo que te falta para llegar a la perfección, pues así, conociendo cómo eres de veras, podrás estimularte a ser mejor.

No mires, pues, lo bonito de la mentira o de la adulación; fíjate, mejor, en lo austero de la verdad.

"*Detestas a los que obran el mal, destruyes a los mentirosos*" (Sal 5,6). "*No digas nunca una mentira, porque esa costumbre no conduce a nada bueno*" (Eclo 7,13). *Has de ser noble y recto contigo mismo y con los demás.*

"Felices los que tienen alma de pobres, porque a ellos les pertenece el Reino de los cielos". Es la primera bienaventuranza que Cristo proclamó en el *Sermón de la montaña.*

Pobre de espíritu es el sencillo, el humilde, el que no se paga de sí mismo, el que está convencido de que depende de los demás, de que él solo no puede enfrentar la vida, que necesita de los otros; por eso es pobre, porque no tiene en sí cuanto necesita, sino que lo espera de los demás.

El orgulloso piensa que él y sólo él se satisface, se basta y se sobra; por eso es rico: se tiene a sí mismo.

Pero solamente al pobre de espíritu, al que tiene alma de pobre o es pobre de espíritu se le promete el Reino de los cielos; el orgulloso conquistará a los hombres; el humilde conquista a Dios; el orgulloso será dueño de la tierra y sus riquezas; el humilde tendrá como herencia el cielo y sus bienes.

¿Qué prefieres?

"*P*orque tu fuerza no está en el número, ni tu dominio en los fuertes, sino que tú eres el Dios de los humildes, el defensor de los desvalidos, el apoyo de los débiles, el refugio de los abandonados y el salvador de los desesperados*" (Jdt 9,11). Nunca es más grande el hombre, que de rodillas; no dudes en doblarlas ante tu Dios. En tus rodillas está tu fuerza y la debilidad de Dios.*

Mayo 12

"Felices los pacientes, porque recibirán la tierra en herencia". Es la segunda bienaventuranza que Cristo nos promete.

Paciente es quien conserva la calma en medio de las tribulaciones, quien sabe dominarse a sí mismo, pero manteniendo en su interior la serenidad. La paciencia, la aceptación, pero no una aceptación onerosa, angustiante, sino una aceptación de calma, sabiendo que Dios saca bienes de los mismos males, de las mismas lágrimas hace brotar las sonrisas.

El que es paciente contagia la paciencia y la calma a su alrededor; cuantos están con él o a él se acercan, participan de su serenidad; los gana y los mejora.

"Con la paciencia todo se alcanza", reza el adagio castellano; con la paciencia todo se ve desde distinto ángulo y en todo se descubre nuevo valor. Es duro, en ocasiones, tener paciencia; pero es la única posición lógica del hombre y del cristiano: del hombre, porque no puede rebelarse contra lo que no está a su alcance modificar; del cristiano, porque debe aceptar la voluntad de Dios.

"*Ustedes necesitan constancia para cumplir la voluntad de Dios y entrar así en posesión de la promesa*" (Heb 10,36). *Para que la paciencia no sea un mero estoicismo, ha de ser una aceptación de la voluntad del Señor.*

"Felices los afligidos, porque serán consolados". Bienaventuranza difícil de comprender, pero que encierra todo un secreto de verdadera felicidad.

Los afligidos, los que lloran, los que se sienten deprimidos y angustiados; todos los hombres viven esos momentos amargos en determinadas circunstancias de la vida; el dolor físico o el dolor moral se prenden de nosotros, atenazan nuestras carnes o se prenden de nuestro espíritu; muerden, desgarran, laceran.

...La enfermedad, el malestar, el accidente que troncha una vida o la deja lastimada al igual que la incomprensión de nuestros más cercanos, el olvido de nuestros seres queridos, las relaciones tirantes, los tratos agrios... en fin, todo un mundo de dolor, de amargura; felices cuantos sufren, porque ellos serán consolados con el consuelo de Dios. Cuando todo resulta ineficaz, cuando nada en la tierra puede ser un consuelo, es entonces cuando Dios aparece en el espíritu del hombre y lo calma y lo consuela y llega a hacerlo feliz.

"*El Señor ha oído mis sollozos. El Señor ha escuchado mi súplica, el Señor ha escuchado mi plegaria*" (Sal 6,9). "*Esta es la morada de Dios entre los hombres: Él habitará con ellos, ellos serán su pueblo y el mismo Dios estará con ellos. Y secará todas sus lágrimas*" (Ap 21,3-4).

Mayo 14

"Felices los que tienen hambre y sed de justicia, porque serán saciados".

El hambre y la sed corporal torturan, pero el hambre y la sed de justicia no son menos apremiantes. Todos aquellos que desean vivamente que en el mundo se instaure la justicia, sabiendo que es ésa la voluntad de Dios; todos los que de una u otra forma se juegan por la justicia, para que en el mundo haya más justicia, sobre todo con aquellos que se hallan desamparados, con aquellos que no tienen medios ni influencia para exigir se les haga justicia; los que defienden la justicia para los pobres, para los oprimidos, para los perseguidos, para los despojados de sus legítimos derechos... todos ésos tienen hambre y sed de justicia y todos ésos serán saciados.

En el mundo de hoy nos cuesta creer que llegará un tiempo en que se hará justicia, justicia verdadera; pero ha de llegar, a no dudarlo, el momento en el que Dios pondrá las cosas en su lugar y dará a cada uno su merecido.

"*Si la justicia de ustedes no es superior a la de los escribas y fariseos, no entrarán en el Reino de los Cielos*" (Mt 5,20). *La justicia evangélica no es la mera justicia de las leyes frías, sino antes que nada la justicia de la ley del amor a los hermanos.*

"Felices los misericordiosos, porque obtendrán misericordia". La misericordia es fruto de un corazón tierno y compasivo, que sabe sufrir con los que sufren y llorar con los que lloran y afligirse con los que tienen alguna pena.

Ser misericordioso es volcar un poco de dulzura en el corazón amargado, derramar algo de bálsamo en el ánimo abatido y comunicarle nuevas fuerzas, para ir repechando el camino del deber.

Ser misericordioso es consolar al triste, acompañar al que se halla en soledad, dejar que el prójimo vuelque en nosotros sus preocupaciones, que se desahogue de sus aflicciones y opresiones.

Los misericordiosos obtendrán también ellos misericordia, encontrarán corazones que los comprendan; cuando para ellos llegue la hora del dolor, hallarán quien les suavice su pena, quien comparta su amargura; y como ellos supieron aliviar la pena de los demás, los demás aliviarán la pena de ellos.

"El que retira la compasión al prójimo, abandona el temor de Dios" (Job 6,14). *"¿No debías también tú tener compasión de tu compañero, como yo me compadecí de ti?"* (Mt 18,33). *Es la mejor forma de conseguir que Dios nos perdone: perdonando.*

Mayo 16

"Felices los que tienen el corazón recto, porque verán a Dios". Es difícil poder afirmar con verdad que tenemos el corazón recto; siempre se anidan en él instintos humillantes y malas inclinaciones; ¡nos es tan natural criticar a los demás! ¡Pensar mal de ellos, de sus acciones! ¡Sospechar de sus intenciones!

Hay en nuestro corazón una carga de soberbia y de agresividad que, con frecuencia, se manifiesta en nuestro modo de proceder y en el trato con los demás.

En cambio, los que tienen el corazón recto, los que son sencillos de corazón, los que no tienen malicia ni la suponen en los demás, los que son de corazón limpio y que con limpieza ven todas las cosas, ellos son los que verán a Dios.

Si tú no ves a Dios con más frecuencia, ¿no será porque no tienes tu corazón suficientemente limpio? Porque el corazón sucio es el que ensucia la vista del alma y con esa vista sucia es imposible llegar a ver a la divinidad.

"*Todo es puro para los puros; en cambio para los los que están contaminados y para los incrédulos nada es puro; su mente y su conciencia están contaminadas*" (Tit 1,15). *Solamente con el corazón limpio se tienen limpios los ojos y solamente con los ojos limpios se puede ver a Dios. Si no ves a Dios, examina tus ojos y tu corazón.*

Mayo 17

"Felices los que trabajan por la paz, porque serán llamados hijos de Dios". Es que no basta ser pacífico; es preciso trabajar por la instauración de la paz entre los hombres, en el mundo entero.

Trabajar por la paz es establecer aquellas condiciones de vida que hagan a cada hombre feliz, seguro de sí mismo y de su porvenir; trabajar por la paz es suavizar relaciones humanas, solucionar problemas, hacerse entender por todos y con todos, crear a nuestro alrededor un clima de comprensión, dar a cada uno lo suyo, respetando el derecho de todos.

Los que trabajan por la paz entre los hombres serán llamados hijos de Dios, porque Dios es el Dios de la paz y no el dios de la guerra; el Dios del amor y no el dios del odio. Ser llamado hijo de Dios será participar de la misma divina naturaleza; será llegar a ser santo de verdad, a elevarse sobre la misma humana naturaleza; realmente vale la pena ser hijo de Dios, y a ello podremos llegar, según promesa de la bienaventuranza, trabajando por la paz.

"Apártate del mal y practica el bien; busca la paz y sigue tras ella" (Sal 33,15). "¡Qué hermosos son sobre las montañas los pies del mensajero que anuncia la paz, que trae buena noticia, que proclama la salvación" (Is 52,7). Que tus pasos, tus palabras sean siempre portadores de la paz y nunca de la inquietud.

Mayo 18

"Felices los que son perseguidos por practicar la justicia, porque a ellos les pertenece el Reino de los cielos".

No será lo mismo "ser perseguidos por la justicia" que "ser perseguidos por practicar la justicia".

A diario se nos presentan cien y mil ocasiones de practicar la justicia; siempre que cumplimos con un deber para con nuestros prójimos, estamos haciendo un acto de justicia, reconociendo su derecho y respetándolo; siempre que somos fieles a nuestra conciencia, estamos siendo justos y practicando la justicia, pues no hay mayor mal que podamos hacer a los demás que ser infieles a nuestros compromisos o a nuestras obligaciones.

Respetemos las leyes, respetemos los reglamentos, respetemos las costumbres sanas; todo eso redundará en bien común, aunque a primera vista parezca que alguno pueda padecer alguna consecuencia de nuestra fidelidad al deber.

"*Conviértanse, porque el Reino de los cielos está cerca. A él se refería el profeta Isaías cuando dijo: «Una voz grita en el desierto: preparen el camino del Señor, allanen sus senderos»*" (Mt 3, 3). *Lo torcido en las intenciones, en las ideas, en los sentimientos, en las obras no es de Dios; solamente lo recto lleva a Dios.*

"Felices cuando sean insultados y perseguidos y se los calumnie a causa de mí".

A causa de mí, es decir, por mi causa, por causa de Dios, por la causa del bien, de la justicia, del deber. Porque entonces el insulto es un honor, ya que es reconocer que somos fieles a la verdad, a la bondad, al deber; y no puede darse ningún honor mayor que esa fidelidad.

A causa de Dios, entonces, el insulto, la persecución y la calumnia no queda en nosotros sino que llega al corazón del mismo Dios. El que habrá de compensarnos del insulto, de la calumnia y de la persecución, será el mismo Dios; y cuando Dios compensa, por cierto lo sabe hacer muy bien y lo quiere hacer maravillosamente. Es preferible caer en las manos de los hombres que caer de las manos de Dios; antes hay que obedecer a Dios que a los hombres.

Ser perseguidos por la justicia es reconocer que somos justos; ser insultados por nuestra adhesión a Dios, es juzgarnos partidarios y amigos de Dios.

"*Síganme, y yo los haré pescadores de hombres. Inmediatamente, ellos dejaron las redes y lo siguieron*" (Mt 4,19-20). *También a ti un día el Señor te llamó y te llamó para hacerte pescador de hombres; fuiste a aquel encuentro, a aquel cursillo, a aquellos ejercicios, porque Dios te llamó.*

Mayo 20

Siempre es mejor construir que destruir. Y sembrar es construir para el día de mañana, para recoger más adelante.

Siembra tu fe, para sostener y apoyar a los que vacilan. Siembra tu abnegación y no la reserves solamente para ti. Siembra tu confianza y Dios no te dejará ni los hombres te fallarán.

Siembra la sonrisa a tu alrededor; la sonrisa hace bien y te hace bien, la sonrisa disipa nubes y suaviza tiranteces.

Siembra tu dulzura y llegarás a conquistar a los hombres, aun a aquellos que tienden a la violencia o no saben dominarse.

Siembra tu amistad, tu gozo y tu entusiamo en todos aquellos que lo necesitan, pues así llegarás a hacer felices a los demás y ellos te harán feliz a ti.

Siembra tus sacrificios, aun con lágrimas y sin alarde; todo sacrificio requiere una cuota de dolor y de sangre; pero todo esfuerzo es redentor y toda lágrima es purificadora.

Que toda tu vida sea una verdadera siembra de alegría, de bondad, de paz y de amor; el que siembre luz, recogerá calor; en cambio, el que siembre vientos, recogerá tempestades.

"*Todos ustedes son hijos de la luz e hijos del día. Nosotros no pertenecemos a la noche ni a las tinieblas*" (1 Tes 5,5). *Como hijo de la luz, debes iluminar a cuantos están cerca de ti; iluminarlos, para llevarlos al Señor. Que las tinieblas no iluminen no es extraño; pero que la luz se apague causa angustia.*

Tomar a cargo la felicidad de otro es el primer movimiento y la primera exigencia del verdadero amor; y es que el amor no se fija en sí, sino que se fija en la persona amada.

Luego, siempre que te busques a ti mismo en primera línea, no amas con auténtico amor; siempre que prefieras tu propia satisfacción o utilidad a la satisfacción y tranquilidad de los otros, no amas de veras.

Es decir, no amas a los otros, te amas a ti mismo; pero como amarse a sí mismo en detrimento de los otros es destruirse a sí mismo, y eso no es amarse, solamente te amarás a ti mismo cuando ames de veras a los otros, cuando te entregues por los otros, cuando te preocupes por los otros, cuando te sacrifiques a ti mismo por los otros.

No te olvides: para que el amor sea verdadero, ha de ser total, único y entregado. Cuando uno se sirve de otro sin una perspectiva de entrega profunda, es imposible el amor.

"Soporto estas pruebas por amor a los elegidos, para que ellos también alcancen la salvación que está en Cristo Jesús y participen de la gloria eterna" (2 Tim 2,10). *Rubén Darío escribió: "Hemos de acordarnos que somos hermanos, hemos de acordarnos del dulce Pastor, que crucificado, lacerado, exánime, para sus verdugos imploró perdón".*

Mayo 22

Cuando uno no piensa más que en sí mismo, no hace otra cosa que levantar una barrera inexpugnable contra el verdadero amor.

El amor es "comunión", verdadera entrega mutua; por tanto, has de estar dispuesto a dar y a recibir; para dar, es preciso ser generoso; para recibir es preciso ser humilde; solamente los generosos y los humildes estarán capacitados para amar verdaderamente.

Ninguna comunión más profunda, más íntima y más real que la comunión con Dios; porque en ella Dios se entrega a nosotros plenamente y nos recibe con plenitud; por eso, la comunión eucarística es la mejor forma de llegar a desaparecer nosotros, para convertirnos en Dios, que nos llega a poseer hasta lo más íntimo de nuestro ser.

Para poder recibir a Dios, es preciso primero saber comulgar con los hermanos, con todos los hombres; y comulgar con los hermanos es darse a ellos y recibir de ellos.

"Ustedes se han purificado, para amarse sinceramente como hermanos" (1 Pe 1,22).

Hemos de ser justos, hemos de ser buenos,
hemos de embriagarnos de paz y de amor
y llevar el alma siempre a flor de labios
y desnudo y limpio nuestro corazón.

He aquí cuáles son los caminos del Señor, descritos por un soldado:

"Pedí a Dios fuerza, para poder realizar; fui tornado débil, para poder aprender a obedecer humildemente.

Pedí auxilio, para poder hacer cosas mayores; tuve dolor, para poder hacer cosas mejores.

Pedí riquezas, para poder ser feliz; tuve pobreza, para poder ser sabio.

Pedí todas las cosas, para poder aprovechar la vida; tuve la vida, para poder aprovechar todas las cosas.

Nada tuve de lo que pedí; mas tuve todo cuanto esperé.

A pesar de mí, mis ruegos fueron atendidos; yo soy, entre todos los hombres, el que más dones ha recibido".

No pocas veces se nos niega lo que pedimos, no por el afán de negarnos, sino porque no conviene que se nos conceda lo que pedimos y, en cambio, se nos da lo que no hemos pedido, no porque no lo hayamos pedido, sino porque eso es precisamente lo que necesitamos.

"**M**iren cómo nos amó el Padre que quiso que nos llamáramos hijos de Dios, y lo somos realmente. Si el mundo no nos reconoce, es porque no lo ha conocido a Él. Queridos míos, desde ahora somos hijos de Dios y no se ha manifestado todavía lo que seremos. Sabemos que cuando se nos manifieste, seremos semejantes a Él" (1 Jn 3,1-2).

Mayo 24

Un hombre sin ideas claras es un hombre desorientado, un hombre sin ruta; o al menos es un hombre que sigue una ruta que no termina en meta, sino que sigue caminos y caminos que se chocan y se entrecruzan, pero nunca lo conducen a un fin.

La idea es la madre de la acción; a ideas claras seguirán acciones definidas y con orientación hacia su objetivo bien conocido y amorosamente buscado.

La idea necesita luz, la luz de la verdad. Dios es la verdad; cuanto más nos alejamos de Dios, más lejos estamos de la luz, más nos circundan las tinieblas del error; y por más esfuerzos que hagamos, más nos enfrascaremos en la oscuridad del error y en la maldad.

Y cuando el hombre camina en el error y la maldad, por más que él crea que se halla en la verdad y en el bien, no deja de dirigirse hacia la catástrofe, tanto más dolorosa y amarga, cuanto menos pensada y esperada por él. Por eso, para llegar a Dios, nada mejor que ir a Él y buscarlo con sincero corazón.

"*Envíame tu luz y tu verdad, que ellas me encaminen y me conduzcan a tu santa Montaña*" (Sal 43,3). *Cristo es la verdad y los que siguen a Cristo no marchan en el error sino que están en la verdad.*

No es la vida la que en sí tiene aliciente; es el sentido que nosotros le damos a la vida; si ese sentido no llega a satisfacer las legítimas ansias que hay en todo corazón humano, la vida no alcanza a ser razón suficiente de nuestro existir.

En ese caso, cuando la vida no tiene un sentido hondo y orientador, cuando no se ve el por qué de la propia vida, cuando nuestras acciones no trascienden el momento presente que, por ser presente, es tan fugaz; cuando a ese momento fugaz no se les da una perspectiva hacia el más allá, tiene aplicación lo que afirma nuestro folklore cuando dice: "Para vivir como vives, mejor no morir de viejo".

No son, pues, ni la juventud, ni la salud, ni el dinero los que puede ser una razón suficiente de nuestro existir; es más bien el sentido que damos a nuestras acciones y a la vida en general, y– dentro del ámbito de ese sentido– la proyección hacia un futuro promisor.

"*E*n ella [*la Palabra de Dios, Cristo*] *estaba la vida, y la vida era la luz de los hombres, y la luz brilla en las tinieblas, y las tinieblas no la percibieron*" (Jn 1,4-5). *Las tinieblas son el Mal, mientras que la luz es el Bien.*

Mayo 26

El progreso es la ley de todo viviente: la flor se va desarrollando, el animal va creciendo, el hombre se va perfeccionando, el profesional se va capacitando, es justo que el trabajador mejore su posición; todo va para adelante; detenerse es estancarse, y estancarse ya es comenzar a morir.

Cristo en su Evangelio también señala a sus seguidores la consigna de ir siempre hacia adelante, hasta sus últimas consecuencias; un elemento estable del cristianismo es la orden de no detenerse jamás.

La Iglesia, que se ha enraizado en el pasado, es, sin embargo, impulso al porvenir; es fidelidad; es esperanza.

Cristo era ayer, es hoy y será mañana. Él es el pasado, el presente y el provenir. El alfa y la omega. El primero y el último. El principio y el fin.

El principio se orienta al fin y el fin cualifica y da sentido al principio y a su desarrollo, hasta llegar a él.

"**Y**o soy la luz del mundo. El que me sigue no andará en tinieblas, sino que tendrá la luz de la Vida (Jn 8,12). "Yo soy el alfa y la omega, dice el Señor Dios, el que es, que era y que vendrá. El Todopoderoso" (Ap 1,8). Cristo es el Principio y el Fin de todas las cosas.

El mundo es de Dios, pero se lo alquila a los valientes. Es que Dios ha hecho al mundo, pero ha querido ponerlo en manos de los hombres para que lo perfeccionen y desarrollen. Por eso es preciso que los hombres cobren conciencia de esta su responsabilidad: que Dios no hará por sí lo que ha determinado hacer por los hombres.

Llénate, pues, de coraje; sumérgete en tu tiempo; transfórmate en apóstol. Quizá tú no puedas contribuir a que el mundo se desarrolle y perfeccione en el campo de la medicina o de la electrónica, pero sí puedes contribuir en el campo de la justicia, de la verdad, de la bondad.

Hazte apóstol y se te abrirán caminos para tu apostolado y llegará la paz con su sonrisa y el amor se difundirá para todos como un río de amplias orillas; y habrá un mundo mejor, más perfecto, más justo; y tú habrás colaborado con Dios en su obra creadora.

"Yo he sido constituido heraldo y apóstol para enseñar a los gentiles la verdadera fe" (1 Tim 2, 7). *Piensa si tú también has sido constituido por Dios en apóstol de tus hermanos, que esperan de ti la luz de la fe. Piensa si tú, como el apóstol, para el servicio del Evangelio has sido constituido heraldo, apóstol y maestro* (2 Tim 1,11).

Mayo 28

Te rebelas ante este mundo dividido y enfrentado en el que circulan la droga de la indiferencia, el opio del placer, de la comodidad, la fiebre del dinero o del poder.

Ideologías irreconciliables, ambiciones encontradas.

Te asquean la mentira, el cinismo, los manejos turbios, la hipocresía; te atormenta la angustia de este mundo, historia tan sucia, tan cubierta de sangre y de odio, tan gastada en violencia y guerras cruentas.

Te sublevan la injusticia de los "justos", la estupidez de los "prudentes", la inoperancia de los "declamadores", la tiranía de los "liberadores". ¿Y qué haces? ¿Comentarlo en el café, en las reuniones, en la calle, en la oficina? El mundo seguirá igual. Quizá peor.

Al mundo no lo cambian los que lo critican, sino los que obran en él, los que se esfuerzan en volcar en él su generosidad, su entusiasmo, su entrega, su sacrificio.

"Traten de convencer a los que tienen dudas, traten de salvar a todos y a muéstrenle misericordia con cuidado" (Jds 22). *A todos hay que tratarlos con el máximo de caridad y comprensión.*

Cuando uno cree en Dios, forzosamente siente la necesidad de hablar con Él; y hablar con Dios se llama "orar". El alma tiene necesidades tan urgentes como el cuerpo; tiene necesidad de orar; no es un lujo; cuando más abrumados estemos por el trabajo, tanto mayor será nuestra necesidad de ser aliviados.

Es necesario rehacer al hombre desde adentro; no nos equivocamos al descubrir en el mundo de hoy una profunda insatisfacción, una infelicidad exasperada, a causa de las falsas recetas de felicidad.

La oración es la fuerza de los hombres y la debilidad de Dios; se pretende vivir obedeciendo a Dios; pero es completamente ilógico pretender obedecerlo sin comenzar por escucharlo. De todos modos, tengamos presente que la oración no consiste en pensar mucho sino en amar mucho; y amar es algo que todos sabemos y podemos hacer.

"*Sean perseverantes en la oración, velando en ella con acción de gracias*" (Col 4,2). *Sabemos que nosotros solos nada podemos, pero con Cristo todo lo podemos; es preciso, por lo tanto, recabar la ayuda del Señor por medio de la oración. El que se aparte de la oración no tardará en sentirse alejado de Dios. "El que ora, se salva; el que no ora, se pierde", dice San Alfonso.*

Mayo 30

El hombre de fe es una roca inconmovible, una fortaleza inexpugnable. La fe es una luz que surge en las tinieblas; da dimensión exacta a todo y lo cromatiza con colores auténticos: los colores de la gracia.

La fe es saber que Cristo vendrá para decir la palabra definitiva en la historia del hombre y del mundo. Es una búsqueda continua, que alienta con sus hallazgos a seguir buscando.

La fe es una seguridad humilde y temblorosa; un sumergirse dulce y escalofriante en el regazo invisible de un gran Padre, que es Dios. La fe es un trasplante de ojos, por el que penetra, en nuestra débil mirada, la comprensiva visión de un Dios de bondad.

El papa Pablo VI dijo: La fe vivida se transforma en luz; amada, se convierte en fuerza; meditada, se vuelve espíritu.

No olvides: de nada te sirve tener fe si no te comprometes con ella; y comprometerse con la fe es comprometerse con las nuevas y honestas transformaciones del mundo de hoy.

"*Su enemigo, el diablo, ronda como león rugiente, buscando a quien devorar; resístanlo, firmes en la fe*" (1 Pe 5,8). *Fe es fortaleza, es firmeza, es seguridad, es fundamento de roca inconmovible; la fe es lo único que te va a dar en la vida orientación y seguridad.*

Al hombre le gusta asomarse a los umbrales del infinito.

Saber ver la huella de la trascendencia de cada cosa y experimentar el temblor estremecido de quien roza lo infinito. El soplo permanente del Espíritu lleva a una toma de conciencia de lo humano y de lo divino.

Por lo mismo, ya no se admite un creyente insensible a los abusos y a las injusticias del mundo; no se quiere ya una religión extraña al hombre y al mundo, ajena a la construcción de un mundo nuevo y mejor.

Se experimenta con fuerza el sentido del hombre, y esto es bueno; pero puede no abrirse lo bastante al sentido de Dios, y esto sucede con frecuencia en el mundo de hoy: de tanto buscar al hombre por el hombre, hemos terminado perdiendo a Dios y no hallando al hombre; mientras que si buscáramos a Dios lo hallaríamos a el y en Él nos encontraríamos con el hombre.

"*Colmó de bienes a los hambrientos y despidió a los ricos con las manos vacías*" (Lc 1,53). *Dios se sirve de los hombres; en consecuencia, Dios dará pan a los hambrientos a través de los otros hombres que no están hambrientos; éste es el plan de Dios; no lo frustres en cuanto está de tu parte; asume tu responsabilidad.*

Siempre seré antorcha que da luz;
en mi interior, un hombre nuevo soy;
prometo ser apóstol del Señor;
en todos mis hermanos volcaré mi amor.

JUNIO

El cristiano debe
servir de verdad a
los hermanos más
pequeños, a los pobres,
a los necesitados,
a los marginados.

Documento de Puebla

Pasó ya el tiempo en que se pensaba y afirmaba que entre ciencia y fe había una oposición irreconciliable; hoy se sabe que cada una tiene sus propios campos, sus cánones y sus categorías.

Pero la ciencia nos enseña cómo es el cielo, y la fe nos dice cómo se llega al "cielo". La ciencia sirve al hombre de fe para reconocer la realidad temporal; la fe sirve al hombre de ciencia para iluminar esa realidad temporal, orientándola hacia lo que trasciende y es eterno.

Debemos esforzarnos para, desde el interior de la ciencia, rescatar la verdad de la fe y, desde el alma de la fe, enriquecer las perspectivas de la ciencia.

El hombre de poca ciencia encuentra dificultades para llegar a la fe; el hombre de mucha ciencia tiene despejado el camino para llegar a la fe. El hombre de poca fe no se sentirá satisfecho con la ciencia; el hombre de mucha fe nunca tendrá miedo de la mucha ciencia.

"Si recibes mis palabras y guardas contigo mis mandamientos, prestando oído a la sabiduría e inclinando tu corazón al entendimiento... entonces comprenderás el temor del Señor, y encontrarás la ciencia de Dios. Porque el Señor da la sabiduría, de su boca proceden la ciencia y la inteligencia" (Prov 2,1-6). La verdadera sabiduría está en saber encontrar a Dios, en descubrirlo en todas las cosas y acontecimientos.

Junio 2

El encanto de la rosas –cantó el poeta– es que, siendo tan hermosas, no conocen que lo son.

Indudablemente, tenemos cualidades en diversos órdenes; negarlas sería ingratitud para el Creador, de quien las hemos recibido.

Pero si somos arrogantes, si ostentamos orgullosamente nuestras cualidades, si nos atribuimos a nosotros mismos la propiedad y no el uso de esas cualidades, además de ser injustos, por atribuirnos lo que no es nuestro, demostraremos poca inteligencia, pues no habremos llegado a comprender que eso que tenemos no nos pertenece.

Las rosas no conocen que son hermosas; porque no lo conocen, por ello no tienen mérito; nosotros debemos conocer y reconocer lo que Dios ha depositado en nosotros. Pero todo eso, no para vanagloriarnos, sino para asumir la responsabilidad de hacer fructificar esas cualidades para el bien nuestro, de los nuestros y de toda la comunidad. Eso es talento.

"Si no me obedecen, humillaré esa enorme soberbia, haciendo que el cielo sea para ustedes como hierro y la tierra como bronce" (Lv 26,19). Nada nos aleja tanto de Dios como el orgullo, el creernos mejores de lo que somos, el no reconocer los defectos y miserias que tenemos. El orgullo es el barro que tapa nuestros ojos y nos impide ver el mundo según el proyecto de Dios.

Dios ha hecho libre al hombre. Por la libertad, signo supremo de la imagen divina en el hombre, Dios deja al hombre en poder de su propia decisión; no quiere autómatas que sirvan, sino hombres libres que lo amen.

El hombre, dueño de su destino, con su inteligencia y su libertad, debe escudriñar en los signos de los tiempos y en la revelación para restituir el primitivo equilibrio de la creación.

Fue necesaria la libertad para que la búsqueda y el encuentro con Dios sea un honor y no una violencia en nuestras vidas. Dios nunca puede ser un obstáculo en la persona humana. Lo esencial es llegar a Él con libertad. El Espíritu nos guía hacia la verdad plena; y en ninguna mano está nuestra libertad mejor protegida y resguardada que en la de quien la ha creado.

No es libre el que rechaza la Verdad y el Amor, sino el que los acepta, los abraza y los vive en plenitud.

"*Porque el Señor es el Espíritu; y donde está el Espíritu del Señor, allí está la libertad*" (2 Cor 3,17). *La libertad de los hijos de Dios, que no es otra cosa que la libertad del amor; de un amor verdadero, que ama al Padre por sobre todo y a los hermanos con el amor al Padre.*

Junio 4

Mientras en el universo hallamos un equilibrio; el hombre experimenta el desequilibrio dentro de sí. El universo mantiene un equilibrio sujeto a las leyes señaladas por el Creador; sin ese equilibrio sobrevendría el caos y la autodestrucción, no sólo del mundo, sino también del mismo hombre.

El hombre, por el mal uso de su libertad, puede alterar su equilibrio íntimo; de esa forma puede llegar a desorbitarse; el hombre altera el equilibrio; en lugar de ser hermano de todos los hombres y señor de todas las cosas, por su ambición y su egocentrismo quiere ser señor de los hombres y se hace esclavo de las cosas, que llegan a dominarlo.

Así el hombre, por su afán de poseer, deja de esforzarse por ser; el hombre queda disminuido, sin identidad propia. Solamente volviendo a ocupar el puesto que Dios le señaló podrá restablecer el equilibrio.

"Si el Hijo los libera, ustedes serán realmente libres*" (Jn 8,36). "Si ustedes permanecen fieles a mi palabra, serán verdaderamente mis discípulos: conocerán la verdad y la verdad los hará libres" (Jn 8,31-32). La Palabra del Señor será la luz que te ilumine y la norma que te guíe.*

En la unidad del cuerpo y alma, el hombre es una síntesis del universo, el cual alcanza en el hombre su cima más alta. Por su interioridad, es el hombre superior al universo entero; y a esa profunda interioridad retorna cuando se mete dentro de sí mismo, donde Dios lo aguarda.

Al afirmar en sí mismo la espiritualidad y la resurrección, no es el hombre juguete de un espejismo ilusorio sino que, por el contrario, toca la verdad más profunda de la realidad.

En lo más profundo de su conciencia descubre el hombre la existencia de una ley, que él no se dicta a sí mismo. El hombre tiene una ley escrita por Dios en su corazón y esa ley es tan íntima que no la puede desconocer, por más que tenga la triste posibilidad de acallarla y desoírla; siempre estará su conciencia reclamando la vivencia de esa ley.

"*L a conciencia es el núcleo más secreto y el sagrario del hombre en el que éste se siente a solas con Dios, cuya voz resuena en el recinto más íntimo de aquélla*" (GS 16). *Dios nos habla por medio de nuestra conciencia; debemos formar la conciencia y seguir sus pautas.*

Junio 6

Todo tiende a renovarse: la flor que se marchita cede el lugar a un nuevo capullo; la semilla que se pudre produce nueva espiga; la noche que se cierra preludia nueva aurora; la muerte queda compensada con un nuevo nacimiento.

Y el hombre ha de renovarse también; sobre la destrucción del hombre viejo del pecado ha de surgir el hombre nuevo de la gracia; hombre nuevo, que se ha de señalar estas metas: emerger del silencio para ser el Verbo creador; gozar con el dolor del alumbramiento para ser el hombre-niño; deponer esclavitudes para ser el hombre-libre; conquistar la realidad de su existir para ser el hombre-nuevo.

Hay que mirar la vida con alegría, entristeciéndose y avergonzándose sólo del odio y no del amor; hay que encariñarse con el mundo y con la vida; hay que ponerle multa al miedo y perseguir al pesimismo; hay que mirar siempre hacia las alturas, al azul del cielo y no deslizarse a ras de tierra.

"De Él aprendieron que es preciso renunciar a la vida que llevaban, despojándose del hombre viejo que se va corrompiendo por la seducción de la concupiscencia, para renovarse en lo más íntimo de su espíritu y revestirse del Hombre Nuevo, creado a imagen de Dios, en la justicia y en la verdadera santidad" (Ef 4,22-24).

El mundo de hoy está exigiendo hombres que tengan la honestidad y el coraje de comprometerse; comprometerse supone ambas cosas: honestidad, porque el compromiso es una exigencia de la fe; coraje, porque es preciso atenerse a las consecuencias del compromiso que surge de la fe.

Luchar por esa profunda renovación interior, que fortalece y templa, para producir cambios en el ambiente donde actuamos. Prestarle a Cristo nuestros brazos, nuestras acciones, nuestra personalidad, nuestra presencia en el mundo.

Tener respuestas concretas, actuales, a las preguntas más candentes que nos formulen. Si se refieren a Dios y nos callamos, es porque no profundizamos nuestra fe; y si se refieren al mundo en que vivimos y no exponemos nuestros convencimientos personales, es porque somos indiferentes a la realidad que nos circunda. Comprometernos es tener siempre coraje, decisión, convencimiento y fe.

"**M**uchos se portan como enemigos de la cruz de Cristo; su fin es la perdición... no aprecian más que las cosas de la tierra. Pero nosotros somos ciudadanos del cielo, de donde esperamos como Salvador a Señor Jesucristo" (Flp 3,18-20). El materialismo es el peor enemigo del hombre moderno; la preocupación excesiva por las cosas que pasan, con detrimento de las cosas que perduran.

Junio 8

Ser un hombre íntegro es una meta que todos quisiéramos alcanzar, y es que la integridad supone un proceso de evolución que ya se ha recorrido antes de llegar a ella.

La integridad es el equilibrio de la autenticidad; el hombre íntegro, el hombre que tiene una personalidad definida y recia, es aquel que sabiendo bien lo que debe hacer, y saliéndole desde adentro, no se deja llevar de las fluctuaciones circunstanciales.

Ser íntegro es no solamente caminar, sino caminar sabiendo hacia dónde se va; al fin y al cabo, cuando un hombre sabe a dónde va, el mundo se aparta para darle paso.

Ser íntegro es potenciar nuestra personalidad poniéndola al servicio de los demás, pero viendo en ellos la imagen de Cristo, que nos lleva a Dios.

"Que el Dios de la paz los santifique plenamente, para que ustedes se conserven irreprochables en todo su ser -espíritu, alma y cuerpo- hasta la venida de nuestro Señor Jesucristo" (1 Tes 5,23).

Vivimos en tiempos en que es preciso definirse, dar la cara sin actitudes vergonzantes, aunque sin necios alardes. Luchar por defender las ideas en que creemos, palpitar la realidad del mundo en que vivimos, decir que no a las actitudes pasivas o conformistas, a las medias tintas.

Definirse, actuar con rectitud y sin dobleces, más bien con transparencia y decisión: cumplir nuestra actividad sin dramatismo, pero sin miedos inoperantes; dar un testimonio sencillo por sus maneras, pero firme por su permanencia y definido por su transparencia.

Ser las manos que alivian, los ojos que orientan, los brazos que ayudan, las mentes que crean soluciones. Sumergirse en el mundo, para cambiar sus estructuras injustas, creando nuevos ambientes que posibiliten y faciliten la vida del mutuo amor.

*"**D**eseamos que cada uno muestre el mismo celo para asegurar el cumplimiento de la esperanza. Así en lugar de dejarse estar perezosamente, imitarán el ejemplo de aquellos que, por la fe y la perseverancia heredan las promesas"* (Heb 6,11-12).

Junio 10

Amar es decidirse a servir, porque servir es la exigencia imperiosa de la dinámica del amor; por eso es fácil descubrir, sin temor a engañarnos, si amamos de veras o si somos falsos en nuestras declaraciones de amor.

Cuando uno se cansa de servir es porque se ha cansado de amar; cuando uno deja de amar es porque previamente ha dejado de servir. ¿Quieres seguir amando, aumentando tu amor? No cejes en tu actitud de servicio; pero ten presente que debes amar a todos, porque ése es el primer precepto de la Ley; quiere decir que has de estar en disposición de servir a todos, a todos sin excepción, porque a todos debes amar, a todos estás obligado a amar.

No te decepcione el amor; si te decepciona, examina con detención y sinceridad si primero tú no decepcionaste en el servicio de tu prójimo.

"Amen con sinceridad... amense cordialmente con amor fraterno; estimando a los otros como más dignos, con solicitud incansable, y fervor de espíritu, sirvan al Señor. Alégrense en la esperanza... compartan las necesidades de los santos, practiquen generosamente la hospitalidad" (Rom 12,9-13).

Para amar a los otros, hay que comprenderlos; pero es que no llegaremos a comprenderlos nunca si previamente no los amamos.

Comprenderlos no es llegar a conocerlos y aun a ubicarlos conceptualmente con el entendimiento; en esta ciencia de la vida nos enfrentamos con la paradoja de que el conocimiento y la comprensión del prójimo es obra del corazón más que del entendimiento.

El corazón tiene razones que el entendimiento no alcanza a comprender; tú eres demasiado cerebral; por eso te resulta tan difícil llegar a amar, ya que solamente quieres amar a aquel a quien juzgas con tu mente que no tiene defectos, que es digno de tu amor, que sabrá corresponder al afecto que tú les brindes. Mucha cabeza y, por eso, poco corazón; y se ama con el corazón y no con la cabeza.

Comienza amando de veras y las cosas y las personas serán vistas y comprendidas más fácilmente.

"*B*endigan *a los que los persiguen; bendigan y no maldigan nunca. Alégrense con los que están alegres, y lloren con los que lloran. Vivan en armonía unos con otros, no busquen sobresalir... no devuelvan a nadie mal por mal; procuren hacer el bien a todos los hombres; en cuanto dependa de ustedes, traten de vivir en paz con todos*" (Rom 12,14-18).

Junio 12

Si amar es servir, analiza prudentemente que podrías caer en el error de querer ser amado, porque anhelas ser servido; y anhelar ser servido ya no es amar, sino que muy fácilmente se confunde con el egoísmo.

Amor y egoísmo son dos realidades tan distintas y aun opuestas y, sin embargo, tan fáciles de entremezclarse, degenerando el amor en egoísmo, carcomiendo el egoísmo los fundamentos del auténtico amor.

¿Amas o deseas ser amado? ¿Amas para ser amado?

¿O eres amado porque primeramente amaste tú y te han respondido amor con amor?

Te quejas de que no eres amado, de que no eres aceptado, de que no tienes ambiente, de que no resultas simpático; ¿no será porque tú no das pie a ser comprendido, aceptado, deseado, amado?

Vale la pena que te examines sobre tu amor.

"Yo les he dado a conocer tu Nombre y se lo seguiré dando a conocer, para que el amor con que tú me has amado, esté en ellos y yo en ellos" (Jn 17,26). *El amor de Dios no es egoísta; tampoco debe serlo el nuestro. El amor de Dios es oblativo, es decir, se entrega por nosotros y se entrega a nosotros; así debe ser nuestro amor a Dios y al prójimo.*

¿Estás dispuesto a colocar la felicidad de los otros por encima de la tuya, a buscar la felicidad de los otros antes que la tuya?

¿Eres capaz de ir más allá, procurando la felicidad de los que te rodean, aun a costa de la tuya?

Aceptar a los otros no es otra cosa que cederles un lugarcito en nuestro corazón; pero para cederles un lugar es preciso arrinconar algunas cosas nuestras, nuestros propios sentimientos y conveniencias.

Todo esto es lisa y llanamente amar; y, en consecuencia, amar es negarse a sí mismo, olvidarse de sí, inmolarse, sacrificarse; amar, en resumidas cuentas, no es otra cosa que sufrir por la persona que uno ama.

Ya tienes un buen test: ¿sufres, te molestas, te niegas por las personas que dices que amas?

"*L es aseguro que el que reciba al que yo envíe, me recibe a mí, y el que me recibe, recibe al que me envió*" (Jn 13,20). "*Hemos de olvidarnos de todos los odios –de toda mentira, de toda ruindad–; hemos de abrasarnos en el santo fuego de un amor inmenso, dulce y fraternal*".

Junio 14

No sé si con alegría o con pena se va repitiendo por esos mundos de Dios que el matrimonio es una lotería. Se pretende indicar que son muy pocos los matrimonios que han tenido la suerte de acertar.

El matrimonio es una lotería y, como en ésta, es mínimo el número de los que tienen premio; es una lotería y a la mayoría de los que han jugado al matrimonio no les ha tocado premio, ni aun por aproximación.

Distan mucho de la felicidad, que sería ganar la lotería.

También suele afirmarse: "¡Fulano se sacó la lotería con una mujer como ésa!»; y no se quiere reconocer que el matrimonio tiene más de elección que de lotería o suerte. Como es elección, es estudio previo consciente y detenido; elección con proyecciones no sólo momentáneas sino con exigencias que perduran.

Elección que se hace con la cabeza y con el corazón, porque es todo el hombre el que ama; por tanto, sabia y cálidamente aceptada y vivida, porque *elegir* significa *comprometer toda nuestra vida*.

"**M**aridos, amen a sus esposas, como Cristo amó a su Iglesia y se entregó por ella... El que ama a su esposa, se ama a sí mismo... Que cada uno ame a su mujer como a sí mismo y la esposa que respete a su marido" (Ef 5,25-33).

Tú piensas que los otros no te aman tanto a ti como tú los amas a ellos; y piensas eso porque no te aman como tú los amas; con ello estás cayendo en el error de confundir el *tanto* con el *cómo*; no son sinónimos.

El *cómo* responde a la personalidad; y como cada uno tiene su propia personalidad, cada uno tiene su modo de amar, su *cómo* ama. No pretendas que los demás amen como tú amas, porque eso sería pretender que los demás se despojaran de su personalidad, para adquirir la tuya.

Te he hablado del *cómo* en el amor; si te fijas en la intensidad, en el *tanto*, he de decirte que el tanto no se puede medir por el *cómo*; la intensidad será medida por la propia disposición psíquica; y así, lo que para uno puede ser mucho, para otro puede resultar muy poco; fíjate más bien en tu propia maduración y no juzgues a los demás.

"*El Padre mismo los ama, porque ustedes me aman y han creído que yo vengo de Dios*" (Jn 16,27). *El único modo de amar a Dios es amarlo sin modo ni medida; las matemáticas no sirven cuando se trata de amar a Dios; nunca se lo puede amar demasiado; siempre lo amamos menos de lo que Él se merece, de lo que lo debemos amar.*

Junio 16

Tu vida tiene que ser como un río; las aguas del río van deslizándose silenciosamente y van dejando lo que llevan; por donde pasan, depositan barro y suciedad si es que sus aguas van turbulentas; señal de que el río pasó por allí es la suciedad que deja. Pero si las aguas van limpias, dejan tras de sí humedad, fecundidad, frescura y verdor.

Haz que las aguas del río de tu vida vayan siempre limpias y deja parte de ellas por donde pases; verás que se te llena de color, de verdor; y que, fruto de tus pasos, brotarán las flores de las virtudes, el césped de la bondad.

Tus palabras, las palabras que hoy pronuncies, pueden ser agua sucia o corriente límpida; y lo que te digo de tus palabras, debes aplicarlo a tus ideas o pensamientos; a tus afectos, a tus obras; que al fin del día no te sientas avergonzado, sino feliz.

"*¿Quién puede decir: «Purifiqué mi corazón, estoy limpio de mi pecado?»*" (Prov 20,9). "*Si decimos que no tenemos pecado, nos engañamos a nosotros mismos y la verdad no está en nosotros. Si confesamos nuestros pecados, Él es fiel y justo para perdonarnos y purificarnos de toda maldad*" (1 Jn 1,8-9).

Hay que saber dialogar con los que nos rodean; es muy triste no conocer otra cosa que el monólogo; y dialogar es saber escuchar y es ponerse en disposición de comulgar con el otro.

Hablar y escuchar son dos actos de idéntico valor humano, son en realidad un mismo acto. Quien no sabe escuchar, ni siquiera hablará con plenitud: voceará, gritará, monologará. Pero nada de esto es positivo. Cuando no se sabe dejar hablar, terminará uno escuchando sus propios gritos.

Sólo los humildes son capaces de dialogar; sin un sincero espíritu de acogida, no es posible el diálogo; hay que acoger al prójimo, llámese esposo, hijos, empleados, amigos, etc... para poder dialogar.

Hay silencios o monólogos que huelen a muerto: ha muerto el amor. Si hay amor, surgirá el diálogo, pues el amor hace milagros. ¡Cuántos silencios hostiles entre esposos, hermanos, amigos... y cúanta carga de agresividad en esos silencios!

"*La razón más alta de la dignidad humana consiste en la vocación del hombre a la unión con Dios. Desde su mismo nacimiento, el hombre es invitado al diálogo con Dios*" (GS,19). *Dios nos habla por la Sagrada Escritura y por medio de sus inspiraciones; nosotros le hablamos por medio de la oración.*

Junio 18

El otro día entré en una iglesia e hice la oración que ahora te presento por si te es útil. Le dije a Dios:

"Señor, que este mundo cansado y viejo con sus problemas, chorreando sangre y odio, me abofetee el alma. Frente al egoísmo de todas las cosas y de todas las horas, dame la responsabilidad y disponibilidad; líbrame del subjetivismo de los ojos cerrados; haz que abra bien mis ojos, para que vean el odio, la violencia, la injusticia, el hambre que hay en el mundo.

Haz, Señor, que me duela el egoísmo; que me queme el estar en la butaca del espectador en un mundo hambriento de verdaderos valores, de hombres auténticos; haz que el vaho de lo vulgar, de lo mediocre, no me mancille; que el número de los amorfos no me anegue, ni el de los conformistas coarte mis decisiones."

Creo que deberías repetir esta oración con frecuencia, pues muy bien puede constituir para ti y para mí un plan de acción y de vida.

"Todo el que odia a su hermano es un homicida"
(1 Jn 3,15).

«Hemos de llenarnos de un sano optimismo,
tender nuestros brazos a quien nos hirió;
y abrazar a todos nuestros enemigos
en un dulce abrazo de amor y perdón.»

Quizá haya pocas cosas de mayor trascendencia que comprender el sentido de la vida; el sentido de la vida supone que la vida tiene una vocación, un llamamiento, una misión que cumplir; y tu vida la tiene; para poder cumplirla, debes conocerla y estudiarla en profundidad.

¿Qué sentido puede tener la vida del que voluntariamente se hace ignorante de su vocación, de la misión que se le ha señalado? Porque esa misión, esa vocación, es personal de cada uno y, en consecuencia, cada uno tiene la suya y es intransferible: nadie puede cumplir tu misión personal si tú no la cumples.

La responsabilidad y gravedad de tu misión personal radica en que el que te ha señalado esa misión es nada menos que Dios; te la señaló al darte la vida, porque te la dio para eso, para que cumplas tu misión; si no la cumples, frustras los planes de Dios y así frustras tu vida.

" *A los que predestinó, también los llamó; y a los que llamó, también los justificó; a los que justificó, también los glorificó"* (Rom 8,30). *"Cristo murió por todos y la vocación suprema del hombre en realidad es una sola, es decir, la divina"* (GS 22).

Junio 20

El amor hace semejantes a los que se aman; por eso Dios, como amó al hombre, al crearlo, lo creó a su imagen y semejanza; de ahí que el hombre deba esforzarse por mantener en sí la mayor semejanza posible con Dios; es una semejanza que no recibimos de una vez para siempre: debemos forjarla día tras día, esfuerzo tras esfuerzo.

Esto te va a llevar a vivir lo divino en lo humano, que al fin es la única forma de vivir lo humano en lo divino, de «divinizarse», de hacerse semejante a Dios.

Porque, si has de hacer de tu vida una semejanza de Dios, también has de hacerlo de las circunstancias existenciales tu vida, ya que tu vida no es tuya, sino por esas circunstancias que te ubican y te diferencian de los demás.

El cristiano es el gran comprometido en el esfuerzo por dar a la vida su verdadero sentido de semejanza con la divinidad: eso es elevar y dignificar la vida.

"*A los que Dios de antemano conoció, los predestinó a reproducir la imagen de su Hijo, para que Él fuera el Primogénito entre muchos hermanos*" (Rom 8,29). *Haber descubierto que Cristo es nuestro Hermano Mayor, llena de gozo nuestro corazón; habla con Cristo con la confianza con que se habla a un hermano y con la seguridad de que Él quiere ayudarte, porque es tu Hermano.*

Sería desastroso no entender bien en qué consiste la verdadera libertad. La libertad es la facultad que Dios nos ha dado de elección y determinación para que, entregados al bien, en él nos perfeccionemos, forjando en él nuestra felicidad.

Por eso la obediencia a Dios es el ejercicio de la verdadera libertad, pues nuestra libertad no es otra cosa que una participación de la misma libertad de Dios.

La verdadera razón de ser de nuestra libertad es la conquista del bien. Por eso nuestra libertad no puede correr por cauces de locos caprichos o pasiones egoístas y humillantes.

Una cosa es la libertad y otra el abuso de la libertad, que engendra el libertinaje; si la libertad es algo muy bueno, el libertinaje es malo y pernicioso; no confundamos las cosas: la medicina con el veneno.

"*Para ser libres nos liberó Cristo; manténganse firmes para no caer de nuevo bajo el yugo de la esclavitud... Porque ustedes han sido llamados a vivir en libertad; prcuren que esa libertad no sea pretexto para satisfacer los deseos carnales*" (Gal 5,1-13). *El Señor nos ha liberado de la esclavitud del pecado dándonos la libertad de la gracia, ésta es la verdadera liberación, base de toda otra liberación. No queramos volver al pecado, para no volver a ser esclavos.*

Junio 22

Poco se acostumbra hoy a reflexionar, meditar, pensar con pausa y seriedad. El mundo que nos rodea es un mundo de bullicio que aturde y nos priva del silencio indispensable para nuestra introspección.

Somos seres inteligentes; si el hombre es el profesional del pensamiento, hay muchos hombres que no ejercen su profesión; no debemos marchar por la fuerza exclusiva de los instintos ciegos y apetencias naturales, ni como hipnotizados irresponsables, ni como sonámbulos inconscientes.

No vayamos a ser víctimas del vértigo de la velocidad, ni de la alocada precipitación, que es el mal terrible de nuestros días; dediquemos cada día unos breves minutos al menos a entrar dentro de nosotros mismos; el "minuto de Dios" ha de ocupar en nuestro día un lugar preponderante; cuanto más pensemos, más hombres seremos; cuanto más pensemos en Dios, más nos asemejaremos a Él.

"**M**editaré tus leyes y tendré en cuenta tus caminos. Mi alegría está en tus preceptos, no olvidaré tu palabra" (Sal 118,15-16). La meditación de la Palabra del Señor y no solamente su lectura rápida o superficial; el minuto dedicado a Dios por la meditación de su santa Ley; deben ser dos preocupaciones que de continuo graben tu corazón.

El hombre siempre se ha propuesto una serie de interrogantes, cuya satisfactoria respuesta anhela encontrar: ¿Qué es el hombre? ¿Cuál es el sentido del dolor, del mal, de la muerte, que a pesar de tantos progresos hechos, subsisten todavía? ¿Qué valor tienen las victorias logradas a tan caro precio? ¿Qué puede dar el hombre a la sociedad? ¿Qué puede esperar de ella? ¿Qué hay después de esta vida temporal?

Hace muchos siglos que el hombre se halla torturado por estos interrogantes y seguirá así mientras no acuda a la fe, que es la única que puede dar la luz esclarecedora; una fe sincera y profunda, que lleve al hombre a echarse en los brazos paternales de Dios; de un Dios que piensa en el hombre, que ama al hombre, que se preocupa por el hombre, aunque el hombre no alcance a comprender, por su limitación de naturaleza creada, los planes y designios de ese Dios.

"*Bajo la luz de Cristo, imagen de Dios invisible, primogénito de toda la creación, el Concilio habla a todos, para esclarecer el misterio del hombre y para cooperar en el hallazgo de soluciones, que respondan a los principales problemas de nuestra época*" (GS, 10). *Sin la luz de Cristo, no se hallan soluciones definitivas.*

Junio 24

El hombre es un ser libre y por ser libre tiene conciencia, que le señala cuál es el bien, qué libertad ha de elegir y cuál es el mal que ha de rechazar.

La conciencia en muchas ocasiones es el semáforo verde que da paso libre al actuar del hombre; pero otras es el semáforo rojo que alerta sobre las prohibiciones del paso, del peligro de una colisión moral.

Una ciudad dinámica no puede prescindir de los semáforos regidores del tránsito y el hombre de hoy, atormentado y golpeado por tantos incentivos, no puede prescindir de los semáforos de su conciencia, que permite o cuestiona.

La conciencia es el juicio práctico de la razón humana, iluminada por los altos principios de la ley natural, que es la ley eterna de Dios, participada por la criatura racional. Como en mi ser dependo de Dios, también dependo de Él en mi actuar.

"El motivo de nuestro orgullo es el testimonio que nos da nuestra conciencia de que siempre nos hemos conducido... con la santidad y la sinceridad que proceden de Dios, movidos no por un saber meramente humano, sino por la gracia de Dios" (2 Cor 1,12). No son los hombres los que en último término deberán juzgarnos, sino el Señor; si Él nos aprueba, no importa tanto que los hombres nos desaprueben; aunque si los hombres nos desaprueban, debemos examinarnos para ver si Dios nos aprueba.

Nada hay más repugnante que el egoísmo, ese vicio que nos hace mirarnos a nosotros mismos sin dignarnos a prestar atención a los demás, sean ellos quienes fueren.

El egoísmo constituye a nuestra persona en centro de la vida, independizándose de Dios en el campo de la conciencia y de la comunidad humana, en el ámbito social; el egoísta piensa en los demás en tanto en cuanto puedan serles útiles para sus conveniencias y avaricias. El egoísta quita a Dios el incienso de la adoración y a la comunidad el servicio que le corresponde y necesita.

No conoce el egoísmo otra norma que la especulación del interés personal: el fraude al ciudadano o a la patria, el abuso y la opresión de los necesitados y humildes, el cálculo usurero.

Será bueno que examinemos si tenemos en nuestro corazón algunas raicillas de egoísmo.

"*Si alguien cree que es un hombre religioso, pero no domina a su lengua, se engaña a sí mismo, y su religiosidad es vacía*" (Sant 1,26). *Las palabras egoístas salen de un corazón egoísta y el corazón egoísta seca las fuentes de la vida, de esa vida que es la gracia del Señor.*

Junio 26

Creo no equivocarme, si pienso que tú eres enemigo de la violencia, y estoy contigo; pero quizá no has detenido tu reflexión en la raíz de toda violencia, que es el pecado; y, en consecuencia, si eres enemigo del efecto –que es la violencia– debes serlo de la causa, que es el pecado.

Todo pecado violenta los derechos de Dios y de los hombres; si debemos erradicar del mundo toda violencia, hemos de comenzar haciendo desaparecer el pecado; pues, mientras permanezca la causa, producirá sus efectos; mientras dure el pecado, no podremos esperar que desaparezca la violencia.

La violencia tiene que hacérsela personalmente cada uno a sí mismo: a sus propias inclinaciones, cuando no sean rectas; al propio egoísmo, que enerva y desorienta; a las pasiones que nos apartan de nuestro fin; contra todo esto, cuanta más violencia ejerzamos, mejor.

"*El reino de los cielos sufre violencia y los violentos lo conquistan*" (Mt 11,12). *La violencia que debemos hacernos a nosotros mismos para ser justos en la presencia de Dios; no la violencia que podemos ejercer sobre los demás. La violencia que responde a la monición del Señor, que nos pide tomar nuestra cruz y seguirlo* (Mt 16,24).

No es lo mismo el fracaso del apostolado que el fracaso del apóstol; el confundir las dos cosas puede llevar a un conformismo estéril o a un desaliento derrotista.

El fracaso de la acción apostólica puede ser no culpable e imprevisible; en último término, la decisión la toma cada persona en uso de su libertad, sin presiones de ninguna clase. Se podrán poner todas las condiciones previas, se podrán dar todos los pasos requeridos y, sin embargo, no conseguir lo que se pretende, por chocar contra la dureza de un corazón cerrado.

Pero lo más triste será el fracaso del apóstol; que el apóstol no se haya sentido apóstol, que no haya obrado como tal, que no se haya preocupado por la realización de su ideal: esto constituye el fracaso del apóstol, que lleva lógicamente, no tanto al fracaso, cuanto a la negación de la acción apostólica.

"Tengo la certeza de que ni la muerte ni la vida, ni los ángeles ni los principados, ni lo presente ni lo futuro, ni las potestades, ni lo alto, ni lo profundo, ni ninguna otra criatura podrá separarnos jamás del amor de Dios, manifestado en Cristo Jesús, nuestro Señor" (Rom 8,38-39). *Es el amor al Señor el que nos debe mover en toda nuesta acción apostólica; si amamos al Señor Jesús, debemos invitar a todos a amarlo.*

Junio 28

Se dice que estamos en el siglo de las revoluciones, pero se olvida que la gran revolución la hizo en el mundo hace veinte siglos Jesucristo.

A veces, no suele ser muy respetuosa la intención de los que afirman que Jesús fue el gran revolucionario; pero la realidad es que se confunden dos clases muy distintas, y aun opuestas, de revolución.

Hay una revolución que busca el cambio por el camino de la violencia, del odio, de la guerra, de la destrucción, de la muerte; no es ésa la revolución que nos trajo Cristo.

En cambio hay otra revolución que también busca el cambio, pero más profundo: no sólo de estructuras o regímenes, sino de lo profundo del hombre; quiere un hombre nuevo en el que reine el amor, la justicia, la caridad, la paz, las buenas relaciones humanas; un hombre con un corazón grande, sencillo, limpio, tierno y compasivo que sepa perdonar, comprender, ayudar, en una palabra: amar.

"*En esto consiste el amor: en vivir de acuerdo con los mandamientos de Dios. Y el mandamiento que ustedes han aprendido desde el principio es que vivan en el amor*" (2 Jn 6). *En el amor está comprendida toda la ley.*

La familia cristiana ha sido definida como una pequeña Iglesia en la que ciertamente reina Dios; un hogar que guarda la lumbre y el calor del altar; expresión mistérica de la Iglesia, lugar de la manifestación sincera de la fe y el amor, altar en el que Dios recibe el culto de la humanidad.

"La familia es escuela del más rico humanismo. Para que pueda lograr la plenitud de su vida y misión, se requieren un clima de benévola comunicación y unión de propósitos entre los cónyuges y una cuidadosa cooperación de los padres en la educación de los hijos" (GS).

La educación es el gran deber y el obligado quehacer de la comunidad conyugal y el término de la misma fecundidad genética de los padres. Pero esa educación no puede quedar reducida al ámbito de protección material del hijo, pues eso sería desconocer la dimensión trascendentes de su persona.

"*L*a familia cristiana proclama en voz muy alta tanto las presentes virtudes del reino de Dios como la esperanza de la vida bienaventurada. De tal manera con su ejemplo y su testimonio arguye al mundo de pecado e ilumina a los que buscan la verdad" (LG 35). El que atenta contra la vida familiar, atenta contra el proyecto de Dios para sus hijos.

Junio 30

Buena oración para que recen los esposos juntos: "Señor, Padre nuestro; gracias porque hemos descubierto la alegría del amor. Por eso, en medio de tantos odios y guerras, de tantas indiferencias y egoísmos, nosotros hemos creído que el amor es posible.

Porque creemos en Ti, que eres el Amor. Por eso, nos pusimos en marcha por el camino del amor. Nos sentimos seguros, no por nuestras fuerzas, sino porque Tú estás con nosotros. Te ofrecemos nuestra decisión de ser fieles al amor, con sus exigencias y compromisos.

Queremos amarnos, amar a nuestros hijos y amar a todos los prójimos, de tal manera que seamos testigos de tu presencia, para que el mundo se trasforme en tu Reino, para que los otros crean en el amor y así puedan creer en Ti."

Lo esencial en el matrimonio es lo más opuesto al egoísmo: *darse,* pero darse en plenitud; y el fruto visible de ese darse –los hijos– es el tesoro más preciado que los padres han de guardar con un celo digno de la causa que el Creador puso bajo su custodia.

P   *adres, no irriten a sus hijos; al contrario edúquenlos, corrigiéndolos y aconsejándolos, según el espíritu del Señor"*(Ef 6,14). *"Para que la familia pueda lograr la plenitud de su vida y misión, se requiere un clima de benévola comunicación y unión de propósitos entre los cónyuges y una cuidadosa cooperación de los padres en la educación de los hijos"* (GS 52).

JULIO

Señor,
danos un corazón
grande para amar.

Quizá hoy te encontraste con una ambulancia y quizá ello te obligó a pensar en el dolor; en ese pobre enfermo que iba camino del hospital, en ese médico, en ese enfermero, que viven dedicados plenamente a atender al enfermo y hacerle más llevadero su dolor. Esa ambulancia ha sido para ti un verdadero despertador de la espiritual modorra que engendra el no pensar en el mundo del dolor. Por eso, Dios permitió que la ambulancia se cruzara en tu camino.

Esta mañana te levantaste sano, y esta noche te acuestas sano; no pensaste en esa riqueza inmensa que es la salud y te quejaste porque no tenías otras cosas. ¿No hubiera sido más justo que agradecieras por lo que tienes y que no te quejaras por lo que te falta? ¿Que vieras en Dios al Dador de todos los bienes y no tanto al negador de ciertas comodidades?

Y si Dios permitió que en el día de hoy sintieras algún dolor, ¿no hubiera sido mejor que unieras tu dolor al dolor redentor de Cristo y al de tantos otros hombres, que hacen posible que los hombres miren un poco más hacia el Padre, en los cielos?

"Cristo, que era de condición divina, no retuvo esa igualdad con Dios como algo que debía guardar celosamente, sino que se anonadó a sí mismo, tomando condición de servidor y haciéndose semejante a los hombres. Y presentandose con aspecto humano, se humilló hasta aceptar por obediencia la muerte y muerte de cruz. Por eso Dios lo exaltó" (Flp 2,6-9).

Julio 2

Se habla de doscientos millones de enfermos en el mundo. Un día serás tú contado en ese número. Para ese entonces, reflexiona que, si la muerte es consecuencia del pecado, tiene otras proyecciones que no debes dejar pasar por alto.

La enfermedad ilumina el misterio de nuestro futuro: nos está recordando que no somos sólo para aquí; la enfermedad nos humilla, nos sitúa en la verdad de lo que somos y nos deja confiados en las manos de Dios.

¿Por qué con la salud habrá tanto ser altivo y opresor, cuando hemos de acabar como enfermos que imploran piedad y suscitan compasión? ¿Por qué tanto egoísmo y avaricia, cuando hemos de acabar entregados a los que caritativamente nos sostengan y ayuden hasta nuestro último momento?

La enfermedad nos da la posibilidad de acercarnos a Dios; es el único con quien nos vamos a quedar y de quien recibiremos para siempre amor y dicha.

"*El salario del pecado es la muerte; pero el don gratuito de Dios es la vida eterna en Cristo Jesús, nuestro Señor*" (Rom 6,23). No está mal ofrecer lo que sufrimos por nuestras enfermedades como una reparación por nuestros propios pecados.

Felipe II, ya moribundo, llamaba a los príncipes a su alcoba del monasterio del Escorial, para enseñarles la prematura corrupción de su cuerpo supurante: "¡Mirad, hijos, en lo que acaba la realeza de este mundo!"

Bello ejemplo de un rey cristiano para tantos magnates envanecidos, jactanciosos y altivos.

Es muy dura, pero muy purificadora y santificante esta incorporación a la cofradía del dolor, esta configuración con el sufrir de Cristo, aceptando los designios divinos, difíciles de comprender cuando la vida se deshace, como nube de atardecer estival.

No estará de más que recordemos a los diez millones de epilépticos, catorce millones de leprosos, treinta y dos millones de sordomudos, quince millones de niños discapacitados... y a tantos cientos de miles sin catalogar.

Al enfermo hay que decirle no tanto el por qué de su sufrimiento, cuanto el sentido que le puede otorgar al mismo.

"*Por Cristo y en Cristo se ilumina el enigma del dolor y de la muerte, que fuera del Evangelio nos envuelve en absoluta oscuridad*" (GS 22). *El sufrimiento es la moneda con la que acompañamos la eficacia del apostolado y el crisol de nuestro amor a Dios.*

Julio 4

El afán desmedido de nuestro mundo por vivir la libertad ha hecho que en muchos ambientes se rechace sistemáticamente cualquier autoridad, y esto no es bueno.

Así se vicia el campo sagrado y legítimo de la libertad personal, hasta provocar un desequilibio funesto, convertido en claro ataque contra la autoridad que tiene por misión regir y tutelar el orden y el bien común.

Y en su lugar se da rienda suelta a un libertinaje de miras egoístas que engendra el caos y la confusión. La rebeldía perturbadora y la desobediencia han colmado sus audacias, alimentadas también por la timidez de ciertos elementos dirigentes para cortar con abusos, injusticias y escándalos de muy diversa índole.

La autoridad es un servicio y tiene una misión. Por eso, ha de ser acatada y respetada por todos, pues sin ella la sociedad perdería su razón de ser y se desintegraría. La autoridad, bien entendida, viene de Dios.

"No tendrías sobre mí ninguna autoridad, si no la hubieras recibido de lo alto" (Jn 19,11). *Dios es el único Señor y Dueño de los hombres; es Él el que hace participar a algunos hombres de su poder y autoridad, con la misión de regir y gobernar a los otros hombres.*

"Que cada uno se someta a las autoridades constituidas, porque no hay autoridad que no provenga de Dios y las que existen han sido establecidas por Él. Así, el que se opone a la autoridad... se opone a la disposición de Dios ganando sobre sí su sentencia. Los que hacen el bien no tienen nada que temer a los gobernantes, pero si los que obran mal. Si no quieres sentir temor de la autoridad, obra bien y recibirás elogios; porque ella es para ti un instrumento de Dios para tu bien" (Rom 13,1-4).

"Los reyes de las naciones –dice Cristo en el Evangelio– dominan sobre ellas, y los que ejercen el poder sobre el pueblo se hacen llamar bienhechores. Pero entre ustedes no debe ser así. Al contrario, el que es más grande, que se comporte como el menor, y el que gobierna, como un servidor" (Lc 22,25-26).

Este es el sentido de humildad y servicio de la autoridad con entraña cristiana.

"*Le presentaron un denario. Y él les preguntó: «¿De quién es esta figura y esta inscripción?».Le respondieron: «Del César». Jesús les dijo: «Den al César lo que es del César, y a Dios, lo que es de Dios»*" (Mt 22,19-21).

Julio 6

El hombre no es un ser solitario; al contrario, es un ser esencialmente comunitario, viene de una comunidad, se inserta en una comunidad, vive en la comunidad y ha de ser útil a la comunidad.

Dios quiere que los hombres vivan juntos y juntos trabajen y sufran y gocen y se ayuden y se perfeccionen. Si la obra de Dios es unión entre los hombres, la obra del pecado es separación de Dios y de los hombres; separación de los hombres, porque primero se separan de Dios; separación de Dios, porque se separa de los hombres, así la unión entre los hombres se hace y fortifica en la unión con Dios.

Es el plan comunitario de Dios; ha creado al hombre social; ha hecho con él una sociedad de amor. Así se libera de la autoesclavitud del materialismo individualista, que es tiranía para los demás, y de la quiebra de su formidable anhelo pasional por dar sentido a la vida.

"*L a perfección del coloquio fraterno no está en el progreso técnico, sino más hondamente en la comunidad que entre las personas se establece, la cual exige el mutuo respeto de su plena dignidad espiritual*" (GS 23).

Alguien busca lo que tú tienes; alguien tiene lo que tú buscas; es la interdependencia que Dios ha querido que haya entre los hombres; no somos independientes unos de otros; todos dependemos de todos, todos estamos para todos, todos servimos a todos.

Si no todos servimos para todo, sí todos servimos para algo; y, si no todos podemos ser útiles a todos, sí que todos podemos ser útiles para alguno; de ahí que no nos veamos libres del servicio a la comunidad, por más limitadas que sean nuestras fuerzas y nuestras relaciones humano-sociales.

Alguien busca lo que tú tienes y, en consecuencia, lo puede recibir de ti; y tú estás obligado a dárselo. Alguien tiene lo que tú buscas; y, por lo tanto, de él lo puedes recibir; y él estará dispuesto a dártelo, si tú estás dispuesto a pedírselo, dándole lo que tú tienes.

Da, si quieres que te den; pero da, no porque esperes que te den, sino por el simple gesto de dar, porque valoras a aquel a quien das y te das; porque sabes que él necesita de ti. Dios da y no espera nada de su criatura; imítalo.

"Hagan por lo demás lo que quieren que los hombres hagan por ustedes. Si aman a aquellos que los aman, ¿qué mérito tienen? Porque hasta los pecadores aman a aquellos que los aman. Si hacen el bien a aquellos que se lo hacen a ustedes, ¿qué mérito tienen? Eso lo hacen también los pecadores." (Lc 6,31-33).

Julio 8

Te sueles quejar de que no tienes fe; es que quizá no sabes ubicarte en la noción de fe y menos aún en la realidad de la fe.

Para creer en Dios, hay que despojarse de sí mismo, hay que reconocerse débil, hay que confesarnos a nosotros mismos nuestra miseria, la poca cosa que somos; como a ti te cuesta hacer esto, por eso tienes tantas dificultades para tener fe.

O tal vez estarás pasando lo que se llama una crisis de fe; estás desalentado; tienes ganas de echarlo todo a rodar. A través de esa crisis, Dios quiere llevarte a creer más profundamente, no con una fe de niño, con una fe sin conciencia y sin responsabilidad, sino con una fe adulta, una fe de compromiso; al fin y al cabo, eso y solamente eso es la fe. Así, cuando la fe parece perdida, puede ser que la tengas más arraigada, más personal, más consustanciada con tu propia vida; cuando parece muerta, puede estar más viva. Ya sabes, solamente cuando ya no tengas nada, cuando sobre todo ya no te tengas a ti mismo, podrás comenzar a tener fe.

"Así hemos visto confirmada la palabra de los profetas, y ustedes hacen bien en prestarle atención, como a una lámpara que brilla en un lugar oscuro hasta que despunte el día y aparezca el lucero de la mañana en sus corazones" (2 Pe 1,19).

Es preciso comprender todo el alcance de la fe. Creer es nada más y nada menos que acostumbrarse a amar, comprometerse siempre más, compartirlo todo por amor a Cristo: hasta mi vida, mi sangre (¿por qué no en un centro de transfusión?), mi tiempo, mi dinero, mi cultura, mis diversiones, mi casa, mi comida, mi alegría, mi amistad, mi debilidad, mis fuerzas, mis proyectos, mi ideal, mis esperanzas, mi esperanza cristiana, mi voluntad de creer, a pesar de todo, contra todo, en la salvación infalible del hombre y del mundo por Cristo.

Yo digo que soy creyente; ¿en qué se notan mis creencias?, ¿mi dependencia de Dios? ¿Quién es Dios para mí: un ser abstracto o un ser personal, tripersonal? ¿Un dios que no se preocupa de mí o, por el contrario, un Dios que piensa en mí y que me ama?

A veces oigo decir por ahí que cada uno debe ser creyente "a su manera"; pero, si tengo fe en que Dios ha hablado, ¿cómo puedo ser creyente a mi manera y no a la manera como Dios me ha dicho que debo serlo?

"*La fe, si no tiene obras, está completamente muerta*"(Sant 2,17). *Las promesas hechas al Señor, si no llegan a ser realidades, de nada nos sirven. Mal hace el que promete y no cumple; peor hace el que ni siquiera se anima a prometer; solamente el que cumple lo prometido es el que se hace digno del premio. Si Cristo cuenta contigo, no lo defraudes.*

Julio 10

La fe no es un producto de la razón, sino que es un don de Dios; en consecuencia, no llegarás nunca a la fe discurriendo tú; Dios solamente te la puede dar; y ciertamente te la dará si tú eres suficientemente humilde para esperarla de Él y nada más que de Él; pero si pretendes alcanzarla por ti mismo, no llegarás a la fe nunca.

¿Cuál será tu responsabilidad, si no tienes fe? El no haberte dispuesto con suficiente humildad. A Dios solamente se lo puede ver cuando se pone uno de rodillas, por más que nos duela doblar nuestras rodillas y por más que juzguemos que esa posición es indigna de un hombre.

La experiencia del mundo nos ha llevado al convencimiento de que el que no se arrodilla ante Dios, no tarda en arrodillarse ante los hombres; y esto sí que es humillante; como Dios está en tu interior, si caminas con la cabeza demasiado erguida, nunca verás a Dios; pero si la inclinas, como mirándote a ti mismo, a tu interior, allí lo podrás descubrir con facilidad.

"*E* *l que crea y se bautice, se salvará. El que no crea, se condenará*" (Mc 16,16). "*Nadie puede venir a mí, si no lo atrae el Padre que me envió*" (Jn 6,44).

La fe no es un producto de la razón, pero si eres creyente, debes conocer y saber exponer los fundamentos de tu fe; los motivos razonables que te hacen permanecer en el mundo de la fe.

¿A veces te ha cruzado por la mente esta idea: "Acepto a Dios, pero no sus misterios"? ¿Reconoces lo ilógico de esa postura? En la fe, ¿se trata de *ver* o de *aceptar*? ¿Y se trata de aceptar, porque lo ves todo razonable, o porque es Dios quien te inspira confianza en su Palabra revelada?

Si crees, porque a ti te parece verdad y razonable, entonces estás creyendo en ti, en tu razón, en tu entendimiento, que te muestra las cosas como aceptables; crees en ti pero no en Dios; y eso será fe humana, pero nunca fe divina; y con la fe humana puedes llegar a los mayores desastres, puedes perderla con facilidad, pues el fundamento en que se apoya es muy variable; mientras que la fe divina es inconmovible, pues Dios es siempre el mismo y nunca cambia.

"Ahora crees, porque me has visto. ¡Felices los que creen sin haber visto!" (Jn 20,29). *"La fe es garantía de los bienes que se esperan, la plena certeza de las realidades que no se ven"* (Heb 11,1). *La fe es un salto en el vacío, pero el que da ese salto sabe que no caerá en el vacío sino en los brazos de Dios, que es su Padre, que no puede engañar.*

Julio 12

Eres creyente, tienes fe; pero es quizá más importante que reflexiones sobre las exigencias de tu fe.

Si eres creyente, eres el hombre del *sí* a Dios. La fe te exige vivir ese *sí* plenamente, con todas sus consecuencias, sean éstas personales, sean de orden comunitario.

Para decir que sí a Dios, tienes que dialogar con Él, a fin de darle tu respuesta, ya que la fe es eso precisamente: la respuesta que el hombre da a Dios, a su Palabra revelada.

Tu diálogo con Dios, tu oración personal, es indispensable para tu vida de fe; si no oras, expones tu vida de fe; orar es para ti una necesidad vital, diaria, lo mismo que la respiración.

Primera y maravillosa exigencia de tu fe: ser en toda tu vida, con el Pueblo de los creyentes y en la intimidad de tu conciencia, el interlocutor vivo del Dios vivo.

"*En el Evangelio se revela la justicia de Dios, por la fe y para la fe, conforme a lo que dice la Escritura: «el justo vivirá por la fe»*" (Rom 1,17). *La fe es la condición única para que la justicia de Dios se revele en nosotros.*

Creer es aceptar todos los gestos salvadores de Jesucristo; estos gestos son los sacramentos, actos de Cristo Salvador, repetidos perpetuamente por la Iglesia, mientras haya hombres que nacen y que mueren.

Ya ves: creer es orar, creer es "practicar" en el buen sentido de la palabra; un creyente que no practica se convierte en una verdadera paradoja viviente, en una contradicción consigo mismo, en un desgarramiento interno, que lo ha de torturar porque al mismo tiempo dice que *sí* y luego dice que *no*.

SI: Yo creo que Dios ama al hombre y les ha enviado a Jesucristo para que sea su Salvador.

NO: Actúo como si Dios no amara a los hombres, como si no me amara a mí.

Por cierto que un gesto exterior, un rito, puede ser una cosa sin sentido y sin razón; pero lo lógico no es dejar de realizar ese rito, sino involucrar en él toda nuestra vida interior, que lo hará vivo y vivificante.

"*Permanezcan de pie, ceñidos con el cinturón de la verdad y vistiendo la justicia, como coraza. Calcen sus pies con el celo para propagar el Evangelio de la paz. Tengan siempre en la mano el escudo de la fe, con el que podrán apagar todas las flechas encendidas del Maligno*" (Ef 6,14-16). *¡Buena armadura y preparación para las luchas contra el mal; buen programa para nuestra acción apostólica!*

Julio 14

Dice la Biblia que el creyente debe centrarse en las cosas de aquí abajo y tiene que buscar más bien las cosas de arriba.

Cosas de aquí abajo: dinero, erotismo, lujo, maldad, deseo de poder, egoísmo de toda forma, en los individuos y en los grupos...

Cosas de arriba: simplicidad de vida, desinterés, don de sí, verdadero amor, alegría, paz, vivir en Dios y por Dios.

Decirse creyente y vivir "como todo el mundo", pactar con el dinero, la injusticia, la deshonestidad, el orgullo, es mentir a Dios, es mentirse a sí mismo, a la propia conciencia y es mentir a los demás, que piensan que nosotros somos verdaderos creyentes, porque nos confesamos tales.

Es decir, el creyente no-creyente, el creyente que no vive su fe, es peor y hace más daño a la fe que el que a sí mismo se dice no-creyente.

Por ser creyente debes manifestar al mundo, con tus palabras y con tu testimonio de vida, que Dios es amor.

"*Recibirán la fuerza del Espíritu Santo, que descenderá sobre ustedes y serán mis testigos en Jerusalén, en toda Judea y Samaría y hasta los confines de la tierra*" (Hch 1,8). *No olvides ni un solo momento que debes ser testigo de Cristo y de su Evangelio.*

La fe hace que el corazón y la voz del hombre se torne instrumento conciente de alabanza a Dios y de júbilo para el hombre. Dios solamente se alberga donde la sencillez y la humildad le han preparado el camino.

Con esa fe se multiplica prodigiosamente la luz y la alegría de sentirse viviendo con Dios, de estar en Dios y de que Dios está en uno. El creyente es un hombre de por sí optimista y alegre, de suerte que aun cara a la muerte, al dolor, al sufrimiento, a las privaciones que la vida impone, su alma queda inundada de paz y serenidad; porque en la muerte el cristiano, más que verse privado de algo, es quien da, quien *se da* al Padre que está en los cielos; y quien da, quien ofrece, debe hacerlo con gozo y con paz.

La muerte, el dolor del creyente, reciben una luz característica que no es posible comparar con nada en este mundo. Solamente el creyente es capaz de descubrirla, de comprenderla y de aceptarla. Para el no creyente, esto es todo un misterio y le suena a música celestial; para el creyente, es realmente "el cielo".

"*De su plenitud hemos recibido todos gracia por gracia*" (Jn 1,16). *No debes olvidar que la gracia es un "don", un regalo, y que debes hacer de la vida de gracia tu verdadero ideal, el ideal de toda tu vida. Vivir en gracia y vivir la gracia en toda su plenitud: conciente y creciente.*

Julio 16

En torno de Dios todo es blanco, todo límpido, todo sencillo, todo sin dobleces, todo tiene sonrisa de niño, gorjeos de pájaro, aroma de flores, candidez de virgen.

La vida del que cree en Dios es un aleluia perenne e inmutable, un canto de esperanza, un grito de exultación y de gozo, un himno de gratitud y de petición, un estallar el corazón en lágrimas sedantes que reconfortan, al saberse hijo de Dios.

Toda la vida del cristiano se sacraliza por la presencia de Dios en ella; por eso el cristiano canta, no solamente en sus actos litúrgicos, sino en todos los momentos, aun en los más duros y difíciles, aun en los más ásperos y de aristas más cortantes.

El creyente no puede tratar de engañar a Dios presentándole flores artificiales, en actitud de niño travieso que oculta las cosas; ha de darle no una apariencia de fe y de amor, sino una fe ciega y total y un amor de entrega absoluta y sin reservas.

No basta vivir la gracia conciente y creciente, sino que es preciso vivir la otra dimensión: la gracia difundida o comunicada a los demás. "Den y se les dará... porque con la medida con que midan, se los medirá a ustedes" (Lc 6,38).

La verdad te insta a que pidas perdón a Dios por aquellos mármoles que en los templos no fueron mármoles sino marmolina o mármol pintado; y por la seda que fue sedalina; y por las velas que sólo tuvieron de velas su forma alargada y fueron palos largos pintados de blanco; y por los ramos de flores que fueron papeles o trapos u objetos de plástico.

Más que un obsequio al Señor, un objeto auténtico, son una mueca de desprecio al Único Auténtico y además un índice desdichado de nuestras mentiras, de nuestras ilegitimidades y de nuestros fingimientos humanos.

De eso sí deberás pedir perdón a Dios: de todo aquello que mostraste sin ser en realidad; de tu piedad fingida, de tu amor falsificado, de tu entrega con doble finalidad, cuando no con triple o más inconfesables intenciones.

Con ojos de carne no es posible ver y con labios de barro no es posible orar; te sobra carne; te falta espíritu.

"*Cuando ofrezcan al Señor un sacrificio de acción de gracias, háganlo de tal manera que les sea aceptado*" (Lv 22,29). *Para el cristiano no rigen las prescripciones rituales del Antiguo Testamento, pero sigue rigiendo más imperiosamente aún, si cabe, la obligación de ofrecer sacrificio al Señor –el Sacrificio Eucarístico– y de ofrecerlo con amor y por amor.*

Julio 18

Todo templo tiene un altar; no sería templo sin el altar; el templo es para cobijar el altar.

Pero es que en nuestra vida debemos tener un altar allí en lo más recóndito del alma, guardado con todo respeto y veneración, y orientar hacia él todas las acciones cotidianas.

Frente al altar cabe una postura de entrega y de brazos abiertos. De labios en flor, que se abren a besos, a canciones y a oraciones. El beso al altar es palabra caliente de agradecimiento sincero; ese altar íntimo de tu alma debes besarlo con reiterado afecto, por cuanto en él está tu Dios, en él se manifiesta la bondad de tu Dios, que te sigue día a día, momento tras momento, pensando en ti, llamándote, esperándote. Has de besar esa mano de Dios extendida a ti, esa ara sacral en la que has de ofrendar tus sacrificios. Todo es de Dios y todo es para Dios; y todo eso lo debes ofrecer así: con sonrisas, con oraciones, con cantos e himnos de alabanza, con canciones y besos de gratitud y de amor reconocido y profundo.

"*Harás también un altar para quemar el incienso... Este altar es una cosa santísima consagrada al Señor*" (Ex 30,1.10). *El altar en el que día a día debes ofrecer tu sacrificio al Señor ha de ser la mesa de tu trabajo, tu escritorio, tu herramienta, tu torno, tu cocina, tu tabla de planchar, etc. Todo debe ser ofrenda al Señor, ofrecida en todo lugar y en todo momento.*

Julio 19

Los poetas cantaron con mimo a las flores; todos nos extasiamos ante la hermosura de las rosas, ante el aroma del clavel, la blancura de la azucena, la complicada armonía de una orquídea, la caprichosa formación de una pasionaria, la invisible presencia de una violeta, la exquisita pequeñez del "no-me-olvides".

Todos cuidamos con esmero las flores de nuestro jardín, de nuestras macetas, destinadas a formar ramos para nuestros centros de mesa, o para obsequiar a los que queremos bien.

Pero hay ciertas flores que están destinadas a marchitar su colorido y su esbeltez y a deshacer su aroma, acariciando las pequeñas puertas de un Sagrario; parecería que a esas flores les ha tocado la lotería de no morir en la opaca tierra, sino ante el Dios de todo.

En tu vida, hermano, has de reservar –como las flores– algunos actos que dediques única y exclusivamente a tu Dios; estará bien que hagas lo demás, pero estará mejor que no te olvides de Aquel que de ti se acuerda minuto a minuto.

"¡A ti sólo se debe adoración, Señor!" (Bar 6, 5). *"¡Entren, inclinémonos para adorarlo! ¡Doblemos la rodilla ante el Señor que nos creó! Porque Él es nuestro Dios"* (Sal 95,6-7). *Que tu postura, tu actitud en el templo, sobre todo durante la celebración de la Misa, sea de un verdadero adorador, de uno que adora en espíritu y en verdad.*

Julio 20

El agua corre limpia y cristalina desparramando frescura y verdor, fecundando la madre tierra, hinchando las semillas, dando color a las flores, madurando los frutos, acallando la sed de los animales, refrescando las gargantas de los caminantes.

Pero el agua cantó su canción más cantarina en la pila bautismal, cuando limpió la frente del niño y blanqueó su espíritu de la mancha original.

Entonces el agua fecundó una Vida, que no es terrena, porque es la misma Vida de Dios, que se transmitía al alma del hombre, aún niño, pero ya hecho, por ello, verdadero hijo de Dios.

Esa agua, instrumento sacramental de la nueva Vida en el hombre, siguió corriendo y deslizándose, pero con la alegría de haber sido el instrumento de la inmensa bondad de Dios, que quiso hacerse hombre, pero que no paró hasta hacer al hombre partícipe de su misma divinidad. Y si el hombre perdió el miedo cuando vio a Dios hacerse como Él, se sobrecogió cuando se sintió divinizado por la gracia.

"Te aseguro que el que no nace del agua y del Espíritu no puede entrar en el Reino de Dios" (Jn 3,5). *"Han sido engendrados de nuevo no por un germen corruptible, sino incorruptible: la Palabra de Dios viva y eterna"* (1 Pe 1,23). *Medita en la realidad y en las exigencias de tu Bautismo.*

Hay una riqueza simbólica en la luz de la vela, en la llama del cirio pascual.

Su simbolismo, pletórico de significado, nos está recordando que debemos ser luz para el mundo, para ese mundo que anda entre tinieblas, tinieblas que son de error y de maldad, maldad que se esparce por las cuatro latitudes, latitudes que deberán ser renovadas por el hombre cristiano, hombre cristiano que ha de ser un cielo desbordante de luz.

La luz de la vela es un grito de vida espiritual; es una lengua que pregona la venida del Salvador que fue "la luz del mundo". Esa débil luz de la vela, ese débil resplandor, tapado por el chorro potente de los modernos reflectores, está indicando que, en medio de todo este mundo dinámico, aplastador, desbordante, hay que saber descubrir la luz de la fe, que es un canto de gozo y de triunfo sobre todas las limitaciones humanas; luz que es mensajera de un mundo inmaterial de paz y de amor.

"La hora se acerca, y ya ha llegado, en que los verdaderos adoradores adorarán al Padre en espíritu y en verdad, porque esos son los adoradores que quiere el Padre. Dios es espíritu, y los que lo adoran deben hacerlo en espíritu y en verdad" (Jn 4,23-24).

Julio 22

Para el cristiano hay pocas realidades que revistan una proyección tan vital como la de "comunión".

Y es que *comunión* y *comunidad* son dos términos que marchan al mismo ritmo teológico, tanto en la convicción como en la vida del cristiano. Comunión es común-unión; sin esa común-unión no puede existir la vida de la fe, la vivencia del amor.

Solamente cuando "lo mío" se convierta en "lo nuestro", Dios lo convertirá en "lo suyo", lo de Dios y nos sentiremos elevados sobre nuestra propia naturaleza; pero insistamos en que "lo mío" llegará a ser "lo de Dios" solamente cuando haya pasado por la etapa de ser visto y vivido como "lo nuestro", lo de todos.

Y es que en la Iglesia todo sabe a familia; no a fuerza que estatice por ley y borre todas las desigualdades, sino a amor que busca la comunicación, la comunión de unos con otros.

"Nosotros, siendo muchos, no formamos más que un solo cuerpo en Cristo, siendo cada uno por su parte los unos miembros de los otros" (Rom 12,5). Descubrir a la comunidad es la mejor forma de encontrar a Dios y encontrarse consigo mismo. En el prójimo nos encontramos los tres: Dios, el hermano y cada uno de nosotros.

Cuando nos hallamos ante un espectáculo grandioso, majestuoso, el silencio es la mejor expresión de nuestra admiración, el mejor homenaje que podemos rendirle, por confesar implícitamente que no hallamos palabras para expresar todo lo que sentimos y vivimos en ese momento.

En nuestra oración reposada e íntima, con frecuencia debemos recurrir al silencio; no un silencio inexpresivo y estéril, sino un silencio operante, de plenitud de Dios y de todas las cosas.

El silencio es la palabra más plena, la más redonda, la que dice más, la que todos entienden, la que no necesita explicación, la que no se halla limitada por conceptos, la que Dios escucha mejor, con la que más se entienden los hombres.

El silencio de la palabra, cuando habla muy profundo el corazón; el silencio de la mente, cuando vive con intensidad el espíritu; la inactividad del cuerpo, cuando el alma brota por todos los poros y se derrama en todos los momentos.

"*Silencio, que todos callen delante del Señor, por que Él surge de su santa morada*" (Zac 2,17). *El silencio es el reconocimiento de la presencia del Señor, del respeto que se le debe y que nosotros le expresamos de esa forma. De ahí que debas ser más respetuoso del silencio que la presencia sacramental del Señor en el templo te exige.*

Julio 24

Alguien expresó varios pensamientos que no requieren comentario:

"Cuando otro actúa de cierta forma, es perverso. Cuando tú lo haces, son los nervios.

Cuando es inflexible en su actitud, es obstinado; cuando tú lo eres, es solamente firmeza.

Cuando le disgustan tus amigos, tiene algún prejuicio; cuando a ti te disgustan los suyos, simplemente tienes un buen criterio sobre la naturaleza humana.

Cuando trata de ser complaciente, es adulador; cuando tú lo haces, estás demostrando tacto.

Cuando tarda en hacer las cosas, es terriblemente lento; cuando tú tardas años, eres cauto.

Cuando encuentra defectos, es un desubicado; cuando tú lo haces, muestras discernimiento."

Para pensar con detención y con sinceridad...

*"**P**orque con el criterio con que ustedes juzguen se los juzgará, y la medida con que midan se usará para ustedes"* (Mt 7,2). *La delicadeza en el trato con los demás es una virtud no tan conocida; sin embargo, es muy beneficiosa para las mutuas relaciones.*

Ser perfeccionista, ¿es una virtud o un defecto? Querer que todo salga a la última perfección, ¿está bien o está mal?

Es innato en el ser humano el deseo de evolucionar, de ser cada vez mejor, personal y colectivamente, familiar y socialmente; cuando tu hijito te presenta el cuaderno de deberes, tú le alabas por lo bien realizado, pero lo estimulas a perfeccionarse, a hacerlo cada vez mejor.

Cuando te afeitas o peinas tu cabellera, deseas que quede una perfecta afeitada o un peinado impecable; y así en todas las cosas y en todos los niveles. ¿Por qué solamente en nuestra espiritualidad quedaremos sin el debido desarrollo?

La meta de todo ser viviente es lograr la perfección completa de su vida en todos sus órdenes. Si somos humanos, no nos contentemos con serlo; aspiremos a ser hijos de Dios por la gracia santificante. Eso será llegar a la meta que nos hemos propuesto y, sobre todo, que nos ha señalado el mismo Dios, nuestro Padre.

"*S ean perfectos como es perfecto el Padre que está en el cielo*" (Mt 5,48). "*El divino Maestro y Modelo de toda perfección, el Señor Jesús predicó a todos y cada uno de sus discípulos, cualquiera fuese su condición, la santidad de vida, de la que Él es iniciador y consumador*" (LG 40).

Julio 26

¿Conoces algún libro de recetas de cocina? Seguro que al menos en alguna revista hojeaste por curiosidad algunas de esas recetas.

¿Deseas que te presente una receta original? La escribió un sabio y prudente autor de esta forma:

"Tome una gran cantidad de alegría y déjela hervir a fuego lento, sin parar. Póngale un tazón bien lleno de leche de bondad y enseguida agregue una medida completa de consideración y respeto hacia los demás.

Mezcle con esos ingredientes una cucharada de comprensión; pero una buena cucharada, no una de café, sino sopera; si pone un cucharón, la receta no se estropeará, más bien ganará.

Sazone todo eso con abundante caridad; desparrámela bien por todo el conjunto de horas, tiempos y personas.

Mezcle todo perfectamente y enseguida con todo cuidado ciérnalo por un colador, para eliminar cualquier partícula de egoísmo. Para servirlo, sírvalo con abundante salsa de amor. Es exquisito y cautivador."

"*Cristo es quien nos revela que Dios es amor, a la vez que nos enseña que la ley fundamental de la perfección humana, y por tanto de la transformación del mundo, es el mandamiento nuevo del amor. Así pues, a los que creen en la ley de la caridad divina les da la certeza de que abrir a todos los hombres los caminos del amor y esforzarse por instaurar la fraternidad universal no son cosas inútiles*» (GS 38).

Ayer di una receta, con garantía cierta de éxito.

Sin embargo, me parece que no has quedado bien convencido; al menos del todo. Me parece que en no pocas ocasiones has tratado de hacer algo semejante y no dio el resultado apetecido.

Por eso, a título de garantía de la receta que ayer di, debo ahora hacer algunas observaciones: ¿No has puesto algún diente de ajo? ¿No se te escapó demasiada pimienta? ¿Quizá no cayó descuidadamente algún ají?

Porque, evidentemente, cualquier receta quedaría echada a perder y aun resultaría muy desagradable si hubiera pasado alguna de esas cosas; ya sabe lo que dicen por ahí: para que la ensalada esté bien sazonada ha de tener mucho aceite y poco vinagre.

¡Qué cosas tienen los cocineros!

Tu vida tiene mucho de ensalada compuesta de numerosos elementos, a veces difíciles de compaginar; échele a tu vida mucho aceite que suavice y no pongas cara de vinagre a nadie; si pruebas, quizás llegues a convencerte de lo que te digo.

"*D*ios encerró a todos los hombres en la rebeldía, para usar con todos ellos de misericordia*" (Rom 11,32). "*Como todos caemos en muchas faltas, continuamente necesitamos la misericordia de Dios, y todos los días debemos orar: «Perdónanos nuestras deudas»*" (LG 40).

Julio 28

Cuando vas por la calle te topas con infinidad de gentes de toda clase y condición que revelan en su rostro distintas disposiciones anímicas.

Van unos con rostro sonriente, lleno de felicidad; les ha salido bien el negocio, han tenido suerte en una empresa, recibieron una grata noticia, se encontraron con alguien a quien aprecian...

Otros denotan preocupación: tienen problemas familiares que los acosan, situaciones económicas oprimentes, disgustos con los amigos, inseguridad en su trabajo.

Otros pareciera que van mirando hacia adelante y hacia las alturas: tienen proyectos, ideas, planes que desean realizar; y eso les da fuerza y optimismo.

Solamente es digno de compasión aquel que "se aburre", que no hace nada ni tiene planes de hacer algo; aquel que no tiene vitalidad, que no halla objetivo a su existir, para el que la vida carece de sal. Eso es triste. Mírate al espejo y dime cómo te ves.

"*En la Iglesia por la fe somos instruidos también acerca del sentido de nuestra vida temporal, mientras que con la esperanza de los bienes futuros llevamos a cabo la obra que el Padre nos encomendó en el mundo y labramos nuestra salvación*" (LG 48).

No todos los días te levantas con el espíritu alegre y despreocupado; algunas veces ya desde la mañanita te persigue el recuerdo de una adversidad que estás enfrentando hace tiempo.

Hace 300 años un prisionero grabó en la pared de su prisión esta frase, con la que pretendía conservar en alto su estado de ánimo:

"No es la adversidad la que mata, sino la impaciencia con que soportamos la adversidad".

Es verdad; impacientándote en las adversidades, nada arreglarás; más bien lo echarás todo a perder o agravarás la situación; no es, pues, un remedio la impaciencia o la ira.

Si a este consejo de orden meramente natural y psicológico sabes añadir otro de orden superior, del orden de la fe, como es el reconocer que Dios te ha permitido esa adversidad para que seas capaz de mostrar tu valer, tu fidelidad, tu capacidad de amar, entonces la adversidad será llevada por ti no sólo con paciencia y resignación, sino aun con cierta alegría por saberte fiel.

"La Iglesia está fortalecida con la virtud del Señor Resucitado, para triunfar con paciencia y caridad de sus aflicciones y dificultades, tanto internas como externas y revelar al mundo fielmente su misterio, aunque sea entre penumbras, hasta que se manifieste en todo el esplendor al final de los tiempos" (LG 8).

Julio 30

Lleno de significado el relato de aquella señora: fue al Hospital de Niños llevando golosinas y juguetes; iba pasando de una cama a otra, depositando en las manos de los enfermitos su obsequio; pero una niña enferma, de rostro tristón, no quiso recibir nada.

Al preguntarle por qué no quería recibir ni juguetes ni golosinas, respondió que no era eso lo que ella esperaba. Se le preguntó de nuevo qué esperaba, qué deseaba, y ella replicó:

–Lo que yo espero es a alguien que me dé un beso.

Son muchas las personas que en su interior llevan un niño que fácilmente se despierta y no deja de llorar hasta que le dan lo que necesita.

¿Por qué no te preocupas por descubrir al niño de cada uno y darle un poco de afecto, algo más de bondad, una sonrisa, una compañía al menos de media hora de conversación?

El mundo se muere por falta de afecto, por frío de corazones.

"*Cualquier otro mandamiento se resume en éste: Amarás al prójimo como a ti mismo... El amor es la plenitud de la ley*" (Rom 13,9-10; 1 Jn 4,20). "*Esta doctrina posee hoy extraordinaria importancia a causa de dos hechos: la creciente interdependencia mutua de los hombres y la unificación, asimismo creciente, del mundo*" (GS 24).

¡Qué poco cuesta ser agradecido y, sin embargo, cuánto se estima la gratitud!

Esa propina que dejas sobre la mesa del restaurante sin decir palabra, sabría mejor si añadieras una sola palabrita y fácil de pronunciar: "¡Gracias!"

Esas monedas que depositas en la mano del que te lustra los zapatos, serían recibidos con mayor alegría si los acompañaras de una palabra que diera a conocer a ese hombre a tus pies que su trabajo es dignificador y que por ello le estás agradecido.

Esa carta que recibes, esa verdura que compras, ese llamado telefónico que atiendes, ese servicio que te presta un empleado público, esa información que te dan en la estación terminal... todo eso y muchas otras cosas, si estuvieran salpicadas de la palabrita "¡Gracias!" y de una amable sonrisa, sincera, cálida, no dejarían de llegar hasta el corazón de los demás y los volvería más abiertos, más dispuestos a la ayuda del prójimo, más solícitos.

Si cada día dijeras "¡Gracias!" a Dios por darte un nuevo día y por hacerte gozar de salud y de tantas otras cosas, la vida de tu espíritu sería más intensa y la vivirías con otra proyección.

"*Cristo sanó a los diez leprosos de su enfermedad; solamente uno de ellos volvió para agradecer a Dios la salud recibida; Cristo tomó la palabra y dijo: «¿Cómo, no quedaron purificados los diez? Los otros nueve, ¿dónde están? ¿Ninguno volvió a dar gracias a Dios, sino este extranjero?». Y agregó: «Levántate y vete, tu fe te ha salvado»*" (Lc 17,11-19).

AGOSTO

Cristo da siempre
al hombre luz
y fuerza para que pueda
responder a la máxima
vocación a que
ha sido llamado.

Juan Pablo II

AGOSTO

He aquí un decálogo para la esposa:

1. No hablarás eternamente. Tu esposo tiene derecho a que lo escuches.

2. Prepararás amorosamente la comida del día y mantendrás la casa en orden y limpia.

3. No estorbarás a tu esposo en sus negocios.

4. No divulgarás murmuraciones infundadas sobre tus vecinos.

5. No alardearás de tu esposo ante otros hombres, sino que lo respetarás silenciosamente.

6. Cuando sea necesario llamarle la atención en algo o por algo, lo harás no inmediatamente, sino esperando el momento oportuno y prudente, y luego lo olvidarás.

7. Serás paciente con los defectos de tu esposo, exaltando de vez en cuando sus buenas cualidades.

8. No convertirás a tu esposo en un sirviente.

9. No pensarás que tu esposo siempre tiene razón, pero tampoco pensarás que nunca la tiene.

10. Lo amarás por sobre todas las personas y sobre todas las cosas.

"Los esposos y padres cristianos, siguiendo su propio camino, mediante la fidelidad en el amor deben sostenerse mutuamente en la gracia a lo largo de toda la vida e inculcar la doctrina cristiana y las virtudes evangélicas a los hijos amorosamente recibidos de Dios" (LG 41).

Agosto 2

He aquí ahora el decálogo del esposo:

1. No te olvidarás de demostrar a tu esposa admiración y cortesía, como lo hacías cuando eran novios.

2. Le expresarás con palabras, o con tu actitud, tu aprobación por la comida de cada día, pues la comida no llega a la mesa por sí sola.

3. Recordarás a tu esposa, consultándola sobre tus problemas, hablándole de tu trabajo.

4. Evitarás todo aquello que quisieras que tu esposa evitara; lo que a ti te disgusta, probablemente le disgustará a ella.

5. No le mentirás nunca en ninguna cosa, ni siquiera cuando se hable de tus ingresos.

6. Recordarás los cumpleaños de tu esposa y de tus hijos.

7. Recordarás el aniversario de tu matrimonio.

8. No discutirás nunca acaloradamente con tu esposa, menos aún delante de tus hijos; cuando sea necesario, dialogarás con ella siempre con todo respeto y con cariño, como corresponde a dos buenos esposos.

9. Amarás a tu esposa y le serás fiel sobre todas las cosas.

10. Recuerda que si el hombre es la cabeza del hogar, la esposa es la corona de esa cabeza.

"*Por tanto, todos los fieles cristianos, en las condiciones, ocupaciones o circunstancias de su vida y a través de todo esto, se santificarán más cada día si lo aceptan todo con fe de la mano del Padre celestial y colaboran con la voluntad divina*" (LG 41).

Todos llevamos dentro de nosotros mismos un altar en el que hemos entronizado a nuestro *Yo* y al que le rendimos culto con excesiva frecuencia e intensidad.

La conquista del propio *Yo* es la mayor victoria que el hombre puede lograr; conseguir que la vida no sea dominada por el *ego*, sino por la razón y el corazón.

Cuanto más trabajemos en nuestra perfección, más comprensivos nos mostraremos con las imperfecciones de los demás; por el contrario, cuanto menos perfectos seamos nosotros, más exigentes nos mostraremos con los otros.

Siempre estamos inclinados a reprobar y criticar los defectos de los demás, sobre todo aquellos defectos que nosotros también tenemos y que no nos atrevemos a confesar. Otras veces criticamos los defectos que nosotros no tenemos, como una evasión para no reconocer y recordar los defectos que tenemos y nos dominan.

*T*odos lamentamos las injusticias que sufre nuestro mundo de hoy; el Concilio nos advierte que muchas de ellas "nacen del deseo de dominio y del desprecio por las personas; y, si ahondamos en los motivos más profundos, brotan de la envidia, de la desconfianza, de la soberbia y demás pasiones egoístas" (GS 83).

Agosto 4

Se oyen con frecuencia palabras, críticas de los demás, de personas que nosotros conocemos y aun quizá apreciamos; no será prudente que luego vayamos nosotros a hacerles conocer lo que se haya dicho de ellos en sentido desfavorable y menos aún que se lo comentemos o agrandemos, para congraciarnos con ellos.

Nunca digamos a otro lo que suponemos que le va a disgustar; a no ser que veamos de un modo cierto que les hará bien o les será de provecho; pero en ese caso deberemos usar de un tacto y una finura exquisita, a fin de aminorar el impacto de desagrado y dolor que les pueda producir lo que les decimos.

Tomar como lema de nuestras relaciones con los demás el no decirles nunca nada desagradable puede constituir un buen plan de vida. Nunca exijamos a los otros lo que nosotros no hemos sido capaces de conseguir todavía; nunca nos creamos mejores que los demás, pues si bien en algunas cosas quizá lo seamos, ciertamente en otras son ellos muy superiores a nosotros.

"Vivan todos unidos, compartan las preocupaciones de los demás, ámense como hermanos, sean misericordiosos y humildes" (1 Pe 3,8).

> «Olvidar pasiones, rencores, vilezas;
> ser fuertes, piadosos, dando bien por mal:
> ésa es la venganza de las almas fuertes
> que viven poseídas de un alto ideal.»

¿Te has fijado en los árboles que bordean los caminos? En los días calurosos del verano, cuando el sol aprieta fuertemente, todos buscan la sombra protectora de los árboles y caminan bajo ella protegiéndose del calor.

Los árboles se exponen a los vientos, a la lluvia, al sol; y, en cambio, brindan sombra, frescor, protección.

Tu vida tiene que ser como los árboles: en ella tienen derecho a cobijarse cuantos de una u otra forma necesitan de ti, de tu comprensión, de tu compañía, de tu alivio, de tu ayuda; tú deberás exponerte al sufrimiento, para que los demás no sufran; recibirás el ardor del trabajo, para que los demás descansen; traspirarás con ansiedad, para que los demás se alivien al amparo de tu protección.

En una palabra: sufrirás tú, para que los otros no sufran. Y ésa será tu mayor alegría y tu mayor motivo de orgullo: ser útil a los demás, ofrendarte por los demás, desvivirte por los demás.

"Valen más dos juntos que uno solo, porque es mayor la recompensa del esfuerzo. Si caen, uno levanta a su compañero; pero, ¡pobre del que está solo y se cae, sin tener a nadie que lo levante! (Ecl 4,9-10). De ahí la necesidad de que no te apartes de tus hermanos; manténte al lado de ellos y, por medio de ellos, al lado del Señor.

Agosto 6

Al estilo de las Bienaventuranzas del Evangelio son las de la *Imitación de Cristo,* de *Kempis*:

"Bienaventurado el hombre que escucha al Señor, que le habla interiormente y de su boca recibe palabras de consolación.

Bienaventurados los oídos que perciben lo sutil de las inspiraciones de Dios y no escuchan los susurros mundanos.

Bienaventurados ciertamente los oídos que no escuchan la voz de afuera, sino la verdad que enseña dentro.

Bienaventurados los ojos que, juzgando las cosas exteriores, sólo están atentos a las interiores.

Bienaventurados los que penetran las cosas interiores y las meditan, para prepararse a entender cada día más los secretos que proceden de lo alto".

"El fruto del Espíritu es amor, alegría, paz, paciencia, afabilidad, bondad y confianza, mansedumbre y templanza; frente a estas cosas la Ley está demás. Porque los que pertenecen a Cristo Jesús han crucificado la carne con sus pasiones y sus malos deseos" (Gal 5,22-24).

La vida humana, fuera de pocas excepciones, se encierra en dos cifras solas. La vida del mundo se expresará quizá en cinco cifras.

¿Y la eternidad? ¿Cuántas cifras representa? Váyanse añadiendo cifras desde aquí a la estrella más alejada... Léase, si es posible, esa cantidad... y aun entonces, ¡qué poco nos habremos acercado a la eternidad!

¡La eternidad no tiene cifras!

La vida es como el prólogo del libro de la eternidad; el prólogo nos introduce al libro.

El prólogo nos va adelantando la idea del libro; de ahí la importancia de una vida honesta y santa.

La vida nos ha sido dada para buscar a Dios. La muerte, para encontrarlo. La eternidad, para poseerlo.

Si logro alcanzar eso, mi vida habrá sido digna de ser vivida; de otra forma la habré malgastado, la habré perdido.

"*A légrense los que en ti se refugian, y canten siempre jubilosos, tú proteges a los que aman tu Nombre*" (Sal 5,12). *Ciertamente ha de ser motivo de alegría para ti el saber que amas el Nombre del Señor y que Él te espera, a fin de recompensarte para siempre, por toda la eternidad.*

Agosto 8

Se dice que todo pasa, es verdad. Pero, ¿te parece que todo pasa del todo? Yo creo que no.

Es verdad que todo pasa y que todos pasamos; pero nosotros, al menos, no pasamos del todo; hay algo que queda detrás de nosotros, como un rastro, como una semilla, como un germen, que a su debido tiempo deberá desarrollarse.

El poeta Núñez de Arce cantó:

"*¿Qué es nuestra vida?*
El sueño de un momento;
onda que pasa, sombra que se aleja;
ave tímida y muda, que no deja
ni el rastro de sus alas en el viento".

¿Y las buenas obras? ¿Y las malas obras? ¿No dejan rastros que perduran? ¿No quieres que tu vida deje huellas? ¿Te satisface vivir unos pocos años y luego pasar al vacío infinito y al total olvido? No creo que ningún corazón humano quede satisfecho con esa perspectiva.

"*Recuerda que mi vida es un soplo*" (Job 7,7). *Es una necedad poner la meta solo en esta vida, que es pasajera, que no es la definitiva, que ha de ser superada por aquella que es la verdadera Vida. El caminante no se fija tanto en el camino, cuanto en el término al que debe arribar; tu camino es esta vida. Tu meta, la eternidad.*

La vida es algo serio, muy serio; pero es también algo hermoso, muy hermoso.

El secreto de toda existencia se puede concentrar en esta fórmula tripartita:

—un amor que ofrecer,

—un compromiso que asumir,

—un apostolado que ejercer.

Tener un ideal es tener razón para vivir. Es también un medio para vivir una vida más amplia, más elevada.

Quien ha trascendido su egoísmo y se ha consagrado al servicio de un ideal más grande que él mismo, se halla próximo a Dios.

El ególatra será estático, como lo es toda inacción; el que se realiza en el prójimo es dinámico, con el dinamismo de la donación.

La vida es extremadamente valiosa, si se sabe para qué nos ha sido dada. Valorizar la vida es ya ponerse bajo la influencia de un ideal. Una vida ociosa es una muerte anticipada.

Vivir es sentir el alma, toda el alma; es amar con todas las fuerzas hasta el fin y hasta el sacrificio.

"*Cristo será glorificado en mi cuerpo, sea que viva, sea que muera. Porque para mí la vida es Cristo, y la muerte una ganancia*" (Flp 1,20-21). *Mi vida es Cristo, y Cristo es mi vida; Cristo es el que da sentido a mi vida, el que orienta mi vida, el que le da impulso, y la muerte será el encuentro definitivo y total con ese Cristo que es mi resurrección y mi vida.*

Agosto 10

Vivir es obrar; obrar es luchar; luchar es vibrar y hacer vibrar a los demás.

La mayoría de los hombres vive en una perpetua prórroga, dejando para un mañana hipotético, cuya aurora se obstina en no brillar jamás, las reformas, las ejecuciones decisivas.

Y esto no es otra cosa que perder el tiempo; no emplearlo. Al tiempo perdido se lo llama solamente *existencia*. Como existe la piedra; aunque la piedra "existiendo" llena su misión. En cambio, al tiempo empleado se lo llama *vida*; como vive todo el que desgasta sus fuerzas en el perfeccionamiento propio o ajeno.

¿Existes o vives? ¿Empleas el tiempo para ti, para perfeccionarte, para superarte? ¿Lo empleas para los demás? ¿Sientes que tu vida está llena con un ideal, o la sufres vacía y hueca? ¿Tienes ansias de vivir, o ya estás poco menos que cansado de la vida?

Centra tu vida en Dios y te sentirás feliz.

"*Cristo, por el misterio pascual de su bienaventurada pasión, resurrección de entre los muertos y gloriosa ascensión... destruyó nuestra muerte; y con su resurrección restauró nuestra vida*" (SC 5). *Nuestra vida, por Cristo, es otra vida, con dimensiones distintas; recuerda qué era tu vida antes de tu encuentro con Cristo y qué es ahora. Y qué deseas que llegue a ser.*

Agosto 11

Los niños merecen todo nuestro respeto y nuestro amor. No estará de más que examinemos si los tratamos con respeto; no solamente los niños pueden faltar el respeto a los mayores; la falta de respeto al niño por parte de los adultos es mucho más grave.

Y examinemos si nuestro amor a los niños ha sido siempre sincero, grande y puro.

Finalmente, analicemos con entera honestidad ante la propia conciencia, si la mirada de los niños, que todo lo descubre, pudo ver siempre en nosotros a Dios.

Los niños son como diamantes en bruto, que hay que trabajar y pulir; son una línea de puntos suspensivos, sin saber qué encierran en su suspenso. Quizá de nosotros dependa el que algunos de esos puntos suspensivos se resuelvan en magníficas afirmaciones de fidelidad a sus responsabilidades, de generosidad y de entrega.

"*E*l que recibe a uno de estos pequeños en mi Nombre, me recibe a mí mismo. Pero si alguien escandaliza a uno de estos pequeños que creen en mí, sería preferible para él que le ataran al cuello una piedra de moler y lo hundieran en el fondo del mar" (Mt 18,5-6). Cuida de tus niños y cuida de los niños en general; su integridad es lo más hermoso que existe sobre la tierra.

Agosto 12

Un ventarrón de ideas controvertidas ataca los fundamentos de la familia, con el riesgo evidente de minar los soportes ancestrales de la sociedad.

Nuestra sociedad humana, después de las tempestades sociales, terminadas las guerras, revoluciones y agitaciones populares, dispone de un lugar de refugio: la familia.

Pero es necesario fundamentar bien esa familia, si queremos que resista todo el empuje devastador; es necesario fundamentarla humanamente y desde la fe.

Hombre y mujer deben llegar a la constitución de la familia con ideas sanas sobre la misma y con una adecuada preparación sobre los deberes que más tarde gravitarán sobre sus hombros y su conciencia. Todos tienen sus ojos y sus intereses puestos en la familia; los que pretenden fundamentar la sociedad y los que tratan de destruirla; esto nos convence de la importancia y decisiva gravitación de la familia.

"En esta especie de Iglesia doméstica [la familia], los padres deben ser para sus hijos los primeros predicadores de la fe, mediante la palabra y el ejemplo, y deben fomentar la vocación propia de cada uno, pero con un cuidado especial la vocación sagrada" (LG 11).

Toda persona humana tiene los mismos derechos a la verdad y a la libertad; pero no son sujetos de libertad ni de derecho el error, el mal, el desorden ni la anarquía.

En consecuencia, la persona humana podrá usar de su libertad para bien suyo; pero nunca y bajo ningún concepto para dañar a su prójimo y para producir un mal.

No has de pensar que cuando se te impone alguna cosa, sea en el orden del entendimiento o de la voluntad, de las costumbres o de la vida, de las creencias o del afecto, con ello se coarta tu libertad. Todo lo contrario: sometiéndote voluntaria y conscientemente a ello se perfeccionará tu voluntad.

La libertad del entendimiento consiste en estar al servicio de la verdad, y la libertad de la voluntad en estar al servicio de la virtud. El acto de la libertad más sublime es llevar a cabo el acuerdo y la armonía más perfectos posibles entre tu libertad personal y la voluntad de Dios.

"*E*s la persona humana la que hay que salvar. Es la sociedad humana la que hay que renovar. Es, por consiguiente, el hombre; pero el hombre todo entero, cuerpo y alma, corazón y conciencia, inteligencia y voluntad...*" (GS 3). No caigamos ni en un materialismo crudo ni en un angelismo ingenuo: apuntemos más bien a un humanismo íntegro y cristiano.*

Agosto 14

Será forzoso insistir en la idea de que todo hombre es nuestro hermano; no importa de dónde sea, de dónde venga, a dónde vaya. Y si todo hombre es mi hermano, a todo hombre debo amar y ayudar como a mi hermano.

Préstame tu vivir, remoto hermano,
para que ponga en él lo que te falta:
el sabor de mi pan, para tu hambre;
para tu soledad mi compañía.
De mi fibra el calor para tu frío.
De mi esperar, sostén para tus ansias.
De mi llorar, consuelo compartido.
De mi creer, oasis de bonanza.
De mi lucha, valor en tu camino.
De mi entender, la luz que te haga falta.
Y de todo mi amor, bálsamo tibio,
que, si vives sin Dios, te ofrezco el mío.

"La Iglesia, en virtud de la misión que tiene de iluminar a todo el orbe con el mensaje evangélico y de reunir en un solo Espíritu a todos los hombres de cualquier nación, raza o cultura, se convierte en señal de fraternidad, que permite y consolida el diálogo sincero" (GS 92).

Debemos brindar nuestro afecto y nuestra ayuda a todos.

A todo hombre: al que está en buena posición económica y al que se ve privado hasta de las cosas más necesarias.

Al que goza de salud, pero también al enfermo.

Al que come todos los días y al que sólo puede hacerlo día por medio.

Al que piensa como nosotros y al que discrepa de nuestras opiniones, sean éstas sociales, políticas o religiosas.

Al que está cerca de nosotros y al que vive muy alejado.

A todos sin excepción: la dama que firma con dos apellidos es tan hermana nuestra como la joven de servicio doméstico. Todos somos hermanos; ayudémonos como hermanos. La vida será distinta.

Sólo entonces es cuando estaremos capacitados para poder rezar el Padre Nuestro, para poder decir a Dios que es nuestro Padre; solamente entonces, cuando logremos tratarnos unos a otros como hermanos y lo hagamos con entera sinceridad.

"*E*s completamente claro que todos los fieles, de cualquier estado y condición, están llamados a la plenitud de la vida cristiana y a la perfección de la caridad, y esta santidad suscita un nivel de vida más humano, incluso en la sociedad terrena*" (LG 40).

Agosto 16

No me digas que no te gusta ser tenido por simpático, porque no te lo voy a creer. Si no lo eres, voy a darte unos pocos medios para conseguirlo:

1. Muéstrate agradable cuando te sientas inclinado a estar de mal humor.

2. Escucha con alegría a los que te hablan de sus problemas, aun cuando tú tengas mayores que ellos.

3. Hazte cargo de las tareas que los demás rehúsan y tratan de evadir, aun cuando para ello debas postergar tus gustos.

4. Habla siempre bien de todos, pero en particular de aquella persona que en tu presencia es criticada.

5. Mira siempre el lado bueno de las cosas y sobre todo de las personas, y trata de hacer resaltar precisamente el lado bueno de todo y sobre todo de todos.

6. Laméntate menos y actúa más; el éxito y el triunfo no es de los que hablan sino de los que hacen.

" *El* que se tenga por sabio o prudente, demuestre con su buena conducta que sus actos tienen la sencillez propia de la sabiduría... La sabiduría que viene de lo alto es, ante todo, pura: y además, pacífica, benévola y conciliadora; está llena de misericordia y dispuesta a hacer el bien; es imparcial y sincera. Un fruto de justicia se siembra pacíficamente para los que trabajan por la paz" (Sant 3,13-18)

Aquí tienes las ocho leyes que dio Abraham Lincoln y que, a no dudarlo, son de gran sabiduría:

1. No llegarás a la prosperidad despreciando la economía.
2. No puedes fortalecer al débil debilitando al fuerte.
3. No puedes ayudar al obrero degradando al que le paga su salario.
4. No promuevas la hermandad de los hombres incitando al odio de clases.
5. No puedes ayudar al pobre destruyendo al rico.
6. No puedes establecer una seguridad bien fundada con dinero prestado.
7. No puedes dar al hombre valor y carácter, quitándole su iniciativa y su independencia.
8. No puedes ayudar a los hombres haciendo lo que ellos podrían hacer.

Consejos a nivel humano; pero si sobre ellos proyectamos la luz del Evangelio cobrarán nuevo sentido y trascendencia.

"*Señor, los trabajos y el dolor tú los estas viendo y los consideras para tomarlos en tu propias manos. El débil se encomienda a ti; tú eres el protector del huérfano... Señor, tú escuchas los deseos de los pobres, los reconfortas y les prestas atención. Tú haces justicia al huérfano y al oprimido: ¡que el hombre hecho de tierra no infunda más temor!*" (Sal 10,14-18).

Agosto 18

No sé si conoces a Mark Twain, escritor de chispeante pluma. Escribió esta sabia observación:

"Esforcémonos en vivir de manera que cuando lleguemos a la muerte hasta el director de la funeraria lo sienta."

A quienes más se echa de menos cuando mueren es a aquellos que trataron sinceramente de hacer mejor al mundo durante su estancia en él, y no a aquellos que han tomado mucho de la vida y han dado poco.

Aquellos que han tratado de enriquecer al mundo en el servicio a los demás, y no tanto a los que se enriquecieron a sí mismos aun en desmedro de la misma comunidad.

Así, en esta vida los que aman a todos son amados por todos. Las personas desaparecen, pero su recuerdo grato e ingrato perdura mucho tiempo; y, sobre todo, perdurará para siempre en el corazón de Dios, que aprobará o reprobará.

"*P*adeciendo por nosotros, nos dio ejemplo para seguir sus pasos y además abrió el camino, con cuyo seguimiento la vida y la muerte se santifican y adquieren nuevo sentido" (GS 22). Ese nuevo sentido que se da a todas las cosas cuando se las mira desde el ángulo de Dios.

Las trilogías, que bien pueden ser símbolos de la Trinidad, tienen la capacidad de explicarnos muchas cosas...

Tres cosas debemos ser: integros, justos y honrados.

Tres cosas debemos tener: valor, afecto y amabilidad.

Tres cosas debemos dar: limosna al necesitado, consuelo al triste y estima a quien la merece.

Tres cosas debemos amar: la sabiduría, la virtud y la inocencia.

Tres cosas debemos ensalzar: la frugalidad, la laboriosidad y la presteza.

Tres cosas debemos despreciar: la crueldad, la arrogancia y la ingratitud.

Tres cosas debemos lograr: la bondad de corazón, la integridad de nuestros propósitos y la alegría.

Si a eso añades las Bienaventuranzas, habrás duplicado su mérito.

"El tiempo de nuestra vida es una sombra fugaz y nuestro fin no puede ser retrasado: una vez puesto el sello, nadie vuelve sobre sus pasos" (Sab 2,5). Es prudente aprovechar el tiempo que Dios nos concede para la práctica del bien; porque, aunque todo pasa, el bien que hagamos no pasará.

Agosto 20

Muy curiosa la costumbre de aquel director de un colegio que, extremadamente ocupado en la dirección del mismo y en la atención de los alumnos y sus familiares, temía olvidarse de Dios y así había ordenado hacer una placa en la que se leía esta inscripción:

"Señor, en el día de hoy estaré muy ocupado; tal vez me olvide de ti; pero Tú no te olvides de mí".

Quizá pueda acontecerte a ti también lo mismo; tus ocupaciones, tus problemas, tus preocupaciones, tus trabajos, etc... tal vez te hagan difícil acordarte de Dios a lo largo del día; no estará mal que, al menos en la noche, le dediques alguno de tus pensamientos y le pidas para el día siguiente su constante protección; porque si es posible que tú te olvides de Dios, no es posible que Él se olvide de ti. Lo dice Él mismo en la Biblia: "Podrá la madre olvidarse del hijo de sus entrañas, pero yo no me olvidaré de ti".

"Recuerda que me hiciste de la arcilla, y que me harás retornar al polvo" (Job 10,9). "Acuérdate de mí, Señor, por el amor que tienes a tu pueblo; visítame con tu salvación, para que vea la felicidad de tus elegidos, para que me alegre con la alegría de tu nación, y me gloríe con el pueblo de tu herencia" (Sal 106,4-5).

Te propongo esta antigua oración:

«Señor, que no tenga yo a ningún hombre por enemigo, y que sea amigo de lo que es eterno. Que ame, busque y logre sólo lo que es bueno. Que desee la felicidad de todos los hombres y que no envidie a ninguno.

Que no me regocije con la desventura del que me ha hecho mal.

Que hasta adonde alcancen mis fuerzas preste la ayuda necesaria a todos los necesitados.

Que pueda con palabras amables y consoladoras aliviar las penas de los que sufren.

Que cuando yo haya dicho o hecho algo malo, no espere que los demás me lo hagan conocer, sino que yo mismo me lo reproche hasta corregirme de ello.

Que me acostumbre a mostrarme amable y nunca irritado con los demás, cualquiera sea la circunstancia en que me encuentre.»

"Que cada uno se revista de sentimientos de humildad para con los demás, porque Dios se opone a los orgullosos y da su ayuda a los humildes. Humíllense bajo la mano poderosa de Dios, para que Él los eleve en el momento oportuno. Descarguen en Él todas sus inquietudes, ya que Él se ocupa de ustedes" (1 Pe 5,6-7).

Agosto 22

No pienses que todo tiene el mismo valor, ni que todo es igualmente aceptable.

Son más beneficiosas las personas que se esfuerzan por hacer mejor las cosas que aquellas que no hacen sino desaprobarlas.

Es siempre mejor encender una luz que maldecir las tinieblas; será más constructivo señalar lo que es correcto que detenerse en demostrar lo que es incorrecto.

El mundo necesita más personas que digan qué "puede hacerse" y menos que manifiesten su convencimiento de que es "imposible hacerlo".

Pero no basta eso: es mejor la persona que inspira confianza a los demás y no la que echa un chorro de agua fría sobre los que han dado, aunque más no sea, un paso en la dirección correcta.

Se necesitan más personas que se interesen en las cosas y "hagan algo para corregirlas", y menos que se pongan a un lado, sin hacer más que descubrir los defectos.

"*Ustedes son mis testigos y mis servidores, a ustedes los elegí, para que me conozcan y crean en mí, y para que compendan que yo soy*" (Is 43,10). *Sublime la misión que Dios te ha confiado: ser su testigo y ser su mensajero, ser su apóstol.*

A diario se nos presentan cuestiones difíciles...

No es fácil pedir disculpas cuando uno se ha equivocado.

Ni volver a comenzar cuando todo se ha venido abajo.

Ni admitir un error cuando nos lo hacen ver.

No es fácil ser abnegado, ser considerado, y persistir ante las dificultades, sobre todo cuando son muy persistentes.

No es fácil soportar el peso del éxito y de la prosperidad sin vanagloriarse, ni hincharse ante los demás por ello.

Ni lo es el perdonar y olvidar las faltas de atención de los otros, sobre todo cuando se refieren a nosotros mismos.

Ni dominar nuestro mal carácter, sin descargar en los demás nuestra carga de agresividad cuando las cosas no salen según nuestros deseos.

Nada de esto es fácil: no es fácil, pero no es imposible conseguirlo; y no siempre tenemos que buscar el camino de lo más fácil, sino de lo que sea mejor.

"*Den gracias al Señor, invoquen su Nombre, anuncien entre los pueblos sus proezas, proclamen que sublime es su Nombre*" (Is 12,4). *Es admirable lo que Dios hace con los suyos, cómo los purifica, los santifica, los eleva; déjate purificar y elevar por el Señor; ponte en sus manos con total confianza.*

Agosto 24

No busques el éxito menospreciando a los demás.

No digas nunca palabras hirientes; hieren a los demás, pero más te hieren a ti mismo; sales tú más perjudicado y te rebajas.

No seas jactancioso; tienes cualidades, pero también las tienen los otros; tienes cosas que ellos no poseen, pero ellos quizá te aventajen en muchas otras cosas.

No pongas la cara larga, como pidiendo un poco de compasión; sé más bien alegre y muéstrate sonriente; es más agradable y hasta más bonito.

Entierra el hacha, envaina la espada, esconde el martillo; nadie se ha elevado menospreciando a los demás. Elévate tú, pero sin rebajar a nadie; reconoce los méritos de los demás, sin negar los tuyos y sin enorgullecerte por lo que Dios te dio; al fin y al cabo todo mérito es nada más que de Dios, que es la fuente de todo bien.

" *Así habla el Señor: No temas, porque que yo te he redimido, te he llamado por tu nombre, tú eres mío. Si cruzas por las aguas, yo estoy contigo, y los ríos no te anegarán; si caminas por el fuego, no te quemarás, y las llamas no te abrasarán. Porque yo soy el Señor, tu Dios, el Santo de Israel, tu Salvador"* (Is 43,1-3).

Fíjate cuánta prudencia hay en estos consejos de un hombre de edad para los que quieren que su vida sea desdichada: no tienen más que hacer lo que sigue y pronto lo conseguirán.

Habla siempre de ti mismo y critica siempre a los demás.

Trata de que la palabra yo no se caiga apenas de tus labios.

Presta atención a lo que los demás dicen de ti. Espera ser apreciado y haz lo que puedas para serlo.

Busca siempre divertirte y pasarla lo mejor posible.

Elude tus deberes siempre que puedas, siempre que para cumplirlos debas hacer algún sacrificio; busca siempre el camino más fácil.

Haz lo menos que puedas a favor de los demás. Ámate a ti mismo en grado superlativo, olvidándote de los otros; sé egoísta y no mires si los demás pueden sufrir por tus actitudes.

Haz todo esto y te doy mi palabra de que muy pronto tu vida será hondamente infeliz y desdichada.

Receta infalible y garantizada.

"*Entre ustedes no debe suceder así. Al contrario, el que quiera ser grande, que se haga servidor de ustedes; y el que quiera ser el primero, que se haga servidor de todos. Porque el mismo Hijo del hombre no vino para ser servido, sino para servir y dar su vida en rescate por una multitud*" (Mc 10,43-45).

Agosto 26

Nos resulta difícil admitir a los otros tal como ellos son; siempre tratamos de corregirlos, de hacerlos como somos nosotros.

Pero, ¿con qué derecho pretendemos anular su personalidad, hacerlos de distinta forma de como los hizo Dios?

Por otra parte, si nosotros pretendemos cambiarlos, para que sean como nosotros, es porque inconcientemente estamos convencidos de que nosotros somos como hay que ser, de que nuestra forma de ser es la mejor de todas; por eso quisiéramos que los demás fueran como nosotros.

Y tener ese convencimiento es evidentemente un orgullo desmedido.

Cada uno tiene su personalidad y todos debemos respetar la personalidad de los demás; reconocer que ellos tienen derecho a ser distintos de nosotros y a pensar que la forma de ser de ellos es mejor que la nuestra.

En conclusión: hay que aceptar a los demás tal como son y sin pretender cambiarlos a nuestro gusto.

"*Sean misericordiosos, como el Padre de ustedes es misericordioso. No juzguen y no serán juzgados; no condenen y no serán condenados; perdonen y serán perdonados... Porque la medida con que ustedes midan también se usará para ustedes*" (Lc 6,36-38).

Testigo es el que testifica, el que testimonia, el que da fe de algo o de alguien; ser testigo es afirmar la veracidad y la rectitud de algo o de alguien, es exponer y comprometer la propia palabra y la propia vida por defender a esa persona o a esa posición.

Todos debemos ser testigos de la verdad y del bien; en todas partes debemos dar testimonio de la verdad y del bien, defenderlos aun a costa de nuestra personalidad; debemos comprometer nuestra rectitud y toda nuestra vida; eso es ser testigo.

Siendo testigos, estaremos dispuestos a sacar siempre la cara por la verdad y por el bien, aunque ello suponga para nosotros ciertas incomodidades, la pérdida de ciertas posiciones o conveniencias, ya que por encima de todo eso debemos ubicar la bondad y la verdad.

Debemos, pues, ser testigos de la verdad y del bien, pero como Cristo ha dicho que Él es la Verdad y el Bien, debemos ser testigos de Cristo; y eso con todas las consecuencias que antes hemos mencionado.

"*R ecibirán la fuerza del Espíritu Santo, que vendrá sobre ustedes y serán mis testigos en Jerusalén, en toda Judea y Samaría y hasta los confines de la tierra*" (Hch 1,8). *No puede haber ningún lugar donde el discípulo de Cristo no se sienta "testigo del Señor", con su voz y con su vida, con su palabra y su testimonio.*

Agosto 28

Un testigo da su palabra, compromete su palabra y con ella su honor y su vida; pero no siempre se hace caso al testigo ni se lo tiene en cuenta.

El testigo, por dar su palabra, es una voz, una voz que afirma la verdad, que defiende los derechos de la verdad; pero una voz que, en muchas ocasiones, resuena en el desierto, vale decir, una voz que nadie escucha, a quien nadie hace caso.

Pero lo importante del testigo no es tanto que sea una voz escuchada y aceptada, cuanto una voz que suene, que siempre persista en sonar, que no se canse de gritar; eso es lo que hace que sea *voz*; pues, si se calla, deja de ser voz para convertirse en un silencio de conformismo o tácita aceptación.

Mi vida deberá, pues, ubicarse en la categoría de voz que –oportuna e inoportunamente– suena, habla, llama la atención, exhorta, reprueba, orienta; una palabra, una voz que, cuanto mayor es el desierto en el que suena, más intensa es su decisión de persistir.

"Todos los discípulos de Cristo, perseverando en la oración y alabando juntos a Dios, ofrézcanse a sí mismos como hostia viva, santa y grata a Dios y den testimonio por doquiera de Cristo; y a quienes lo pidan, den también razón de la esperanza de la vida eterna que hay en ellos" (LG 10).

La angustia y la desesperación invade a muchos hombres de hoy; fruto de ello es el afán de tanta gente que busca analizarse con un psicólogo. Pero a veces, lo que la gente más necesita es su autoanálisis, el ponerse frente a la conciencia y a la propia vida.

Y la angustia viene por no ver en el horizonte una orientación para la vida, y la desesperación se apodera del hombre cuando éste ve que el horizonte se acerca y, sin embargo, no halla sentido al camino recorrido hasta él.

En cambio, la paz y la tranquilidad comienzan a invadir al hombre cuando éste se siente ubicado en la vida, cuando conoce con íntima claridad los tres básicos puntos de la vida humana: sabe de dónde viene, a dónde va y por dónde debe ir.

Un principio, un origen; un fin o término y un camino por recorrer; cada paso dado en la vida de ese hombre es un acercarse a la luz, al término, que es victoria y felicidad; a la fuente de todo bien, que es Dios.

"Las personas y los grupos sociales están sedientos de una vida plena y de una vida libre, digna del hombre, poniendo a su servicio las inmensas posibilidades que les ofrece el mundo actual" (GS 9). *Cada uno de los cristianos ha de ser un agente de la consecución de la plenitud de esa vida, sabiendo que el hombre debe aspirar a la Vida de la Gracia.*

Agosto 30

Hay cuatro clases de hombres:

—Aquel que no sabe nada, y no sabe que nada sabe: es un ignorante; compadécete de él.

—Aquel que no sabe nada, y sabe que nada sabe: es un sencillo; enséñale lo que tú puedas y él necesite.

—Aquel que sabe, y no sabe que sabe: está dominado; despiértalo.

—Aquel que sabe, y sabe que sabe: es un sabio; imítalo.

Quizá sea lo más difícil el ubicarse a sí mismo con equidad y sin engaños en el plano que nos corresponde; pero, aunque sea difícil, no es imposible y, por lo tanto, es una obligación de conciencia, ya que no podemos tenernos ni por más de lo que somos ni por menos de lo que Dios nos ha dado.

Tenerse por más de lo que uno es, es pura soberbia y orgullo despreciable; no reconocer lo que uno en realidad es, constituye un acto de ingratitud para con Dios, que ha depositado en nosotros las cualidades con las que nos ha enriquecido. Sé sencillo y agradecido.

"Vivan en armonía unos con los otros, no quieran sobresalir; pónganse a la altura de los más humildes. No presuman de sabios" (Rom 12,16). Tratar siempre a los demás con humildad, con deferencia, con bondad y comprensión, esto, que parece tan fácil, no lo es de hecho, y por eso supone no poca santidad.

Las palabras de Dios pasan muchas veces sobre nosotros sin tocarnos.

Las palabras de Dios llaman con frecuencia a nuestros oídos, siéndonos a menudo molestas.

Las palabras de Dios nos llegan al corazón para que meditemos sobre ellas.

Las palabras de Dios nos tocan como un rayo y nos hacen temblar.

Las palabras de Dios se graban en nuestra memoria como saeta en la carne y quedamos iluminados.

Las palabras de Dios nos cautivan y ya no hay resistencia.

Las palabras de Dios se adueñan de nosotros y somos transformados.

Por eso se ha podido afirmar que el bien mayor de la mente es el conocimiento de Dios; y a ese conocimiento podremos llegar únicamente escuchando, meditando y viviendo la palabra de Dios.

"*Al principio existía la Palabra y la Palabra estaba con Dios y la Palabra era Dios*" (Jn 1,1). "*El Reino de los cielos brilla ante los hombres en la palabra, en las obras y en la presencia de Cristo. La Palabra de Dios se compara a una semilla sembrada en el campo; quienes la oyen con fidelidad y se agregan a la pequeña grey de Cristo, ésos reciben el Reino*" (LG 5).

SETIEMBRE

La libertad auténtica,
la espiritual, tiene
que ser conquistada.
Y cuesta
una lucha tenaz,
inmensamente penosa.

Romano Guardini

Setiembre 1

Hay un momento admirable en la vida de todo hombre: es el momento en el que se compromete ante su propia conciencia a vivir el heroísmo del cumplimiento del deber.

Desde ese momento el hombre mira todas las cosas desde otro punto de vista y todo cobra nuevos reflejos, nueva vida.

Desde ese momento se abre en la vida del hombre una nueva etapa, más hermosa y sublime; la más hermosa y sublime de toda su vida; porque en ella ha entrado a ocupar un lugar, no sólo importante, sino decisivo, el deber, en lugar del dinero, del placer, del confort, del egoísmo.

Y si el deber ocupa el primer lugar, también lo ocupa Dios, y si Dios es el primero, todo queda en orden.

Y, cuando existe armonía, el hombre goza de verdadera y auténtica paz. Con no poca razón los antiguos definieron la paz como "la tranquilidad en el orden".

Te deseo la paz de tu conciencia.

"*E l hombre sincero será colmado de bendiciones*" (Prov 28,20). "*¿No fue hallado Abraham fiel en la prueba y por eso Dios lo contó entre los justos?*" (1 Mac 2,52). *La fidelidad a la palabra que hemos empeñado, cuando se nos dijo que Cristo contaba con nosotros y que nosotros contábamos con su gracia, ha de cumplirse a toda costa. La fidelidad a la palabra es en último término fidelidad al amor.*

Setiembre 2

La vida es una mezcla continua de alegrías y de dolores, de éxitos y de fracasos, de mañanas llenas de luz y de noches cargadas de oscuridad.

¡Cuántos fracasos, cuántos apagones en la vida de todo hombre, aun en la vida de los héroes, aun en la vida de los santos! No hay que extrañarse, por lo tanto, de que también los tengamos nosotros, aunque no seamos ni lo uno ni lo otro.

Pero esos héroes y esos santos se hicieron tales porque supieron armonizar y equilibrar esos momentos; ni se dejaron abatir por las tinieblas ni se desubicaron por la luz de los éxitos.

Eso también tú lo puedes hacer; y, si lo puedes, lo debes.

Nunca te deslices por la cuenta de los vulgares pensamientos y de las acciones innobles.

Deberás caminar siempre con los pies en el suelo; pero que tu corazón mire hacia el cielo. Hacia allá, como estrella orientadora, fija tu ideal: hacerte cada vez mejor asemejándote a Dios.

"¿Qué dice la gente sobre el Hijo del hombre? ¿Quién dicen que es?». Ellos le respondieron: «Unos dicen que es Juan el Bautista; otros Elías; y otros, Jeremías o alguno de los profetas». «Y ustedes, les preguntó, ¿quién dicen que soy?».Tomando la palabra, Simón Pedro respondió: «Tú eres el Mesías, el Hijo de Dios vivo»" (Mt 16,13-16). Muchos y muchas veces te preguntarán quién crees que es Cristo. ¿Qué les vas a responder?

Tomás de Aquino define la paz como la tranquilidad en el orden y Agustín nos habla de la belleza como algo intrínsecamente relacionado con el orden.

El orden entra en los planes del Creador.

Mira sobre tu cabeza y verás millones de estrellas admirablemente ordenadas; contempla bajo tus pies y admirarás el sabio equilibrio de todos los seres que sirven para tu sustento o tu recreación.

Tu vida ha de ser ordenada en todo nivel; el desorden y la desorganización no pueden serte útiles, no pueden entrar dentro de los planes de Dios sobre ti.

Que el orden acompañe desde tus cabellos hasta tus sentimientos; desde tus ropas hasta tus ideas; desde tus actos más íntimos hasta tus relaciones con los demás.

Sé en toda tu vida un reflejo del orden que Dios puso en la Creación.

"*El amor y la Verdad se encontrarán, la Justicia y la Paz se abrazarán; la Verdad brotará de la tierra y la Justicia mirará desde el cielo. El mismo Señor nos dará sus bienes y nuestra tierra producirá sus frutos. La Justicia marchará delante de Él y la Paz sobre la huella de sus pasos*" (Sal 85,11-14). "*La adecuada promoción de esa honesta paz pública es la ordenada convivencia en la verdadera justicia...*" (DH 7).

Setiembre 4

Nos es frecuente oír decir, ante cualquier circunstancia: "Lo hice porque me arrastró la corriente, la costumbre..."

Tú no debes dejarte arrastrar por nada ni por nadie que no sea tu propia conciencia; porque en tu vida no debes tolerar que mande nada ni nadie más que tú.

Si te dejas arrastrar, serás como hoja de árbol caída y seca y, por lo mismo, ya infecunda y estéril.

Si permaneces fiel a los dictados de tu concienia, serás como la roca milenaria, que siempre señala la ruta a los caminantes.

No quieras, pues, sincerar tu culpa cuando obras "arrastrado por la corriente"; en realidad lo único que te arrastró fue tu falta de voluntad, la debilidad de tu carácter.

Si te dejas arrastrar, eres una cosa; si no dejas que nada ni nadie te arrastre, eres simplemente hombre.

Sé persona; no seas cosa.

Pide al Señor que fortifique los músculos de tu cuerpo y también los resortes de tu voluntad.

"Cuanto mayor es el predominio de la recta conciencia, tanto mayor seguridad tienen las personas y las sociedades, para apartarse del ciego capricho y para someterse a las normas objetivas de la moralidad" (GS 16). *Dios te habla por tu conciencia: escúchalo.*

No dudo de que en algunas oportunidades de tu vida, ante un fracaso, se habrá escapado de tus labios aquella frase: "¡Hice todo lo que pude!"

Sin embargo, nos dicen los psicólogos que son muy escasas las personas que hacen todo lo que pueden hacer.

Puede resultar una verdadera escapatoria el pensar que hemos hecho cuanto podíamos hacer; una escapatoria para tranquilizar nuestra conciencia.

Cuando a aquel santo le preguntaron qué haría si volviera a empezar su vida, pudo responder con verdad: "Lo mismo que he hecho hasta ahora".

¿Podrías tú afirmar lo mismo con toda honestidad?

Vamos a ver si mañana haces algo más que hoy.

O al menos lo haces mejor que hoy.

"*Todo lo puedo en aquel que me conforta*" (Flp 4,13). *Ya sabes muy bien que tú solo nada puedes hacer: "Separados de mí, nada pueden hacer"* (Jn 15,5). *Pero con Cristo eres mayoría aplastante; Cristo siempre está a tu lado, siempre dispuesto a ayudarte, siempre tendiéndote la mano; basta que tú aceptes esa mano, la busques cuando la necesites, la aprietes cuando te sientas desfallecer.*

Setiembre 6

León Bloy tiene un pensamiento profundo que dice: "La única tristeza es la de no ser santo".

Si nosotros tuviéramos que poner en una lista las posibles causas de nuestras tristezas, quizá ni se nos hubiera ocurrido catalogar como causante de nuestra falta de alegría el hecho de no ser suficientemente buenos.

O, al menos, la hubiéramos puesto en un lugar muy secundario.

Para León Bloy era la primera.

Y si nosotros lo pensamos detenidamente, veremos que no estaba muy desacertado al escribir esa afirmación.

No somos buenos, no somos lo suficientemente buenos, no somos tan buenos como deberíamos ser, no somos cada vez más buenos y eso es la causa de la mayoría –¿de todas?– nuestras tristezas, nuestros problemas.

"Libres de temor, arrancados de las manos de nuestros enemigos, lo sirvamos en santidad y justicia, bajo su mirada, durante toda nuestra vida." (Lc 1,74-75). *Santidad y justicia en la presencia de Dios, que ve el fondo del corazón; santidad y justicia, que nos estimula a una mayor perfección, a ser cada día algo mejores.*

Cuántas veces el origen de tus preocupaciones es que piensas demasiado en lo que te queda por hacer.

Quizá sea mejor que pienses un poquito más en lo que estás haciendo y algo menos en lo que te falta por hacer.

Que vivas con mayor intensidad el momento presente de tu vida y no te angusties tanto por el momento que ha de venir; no sabes ni cómo vendrá, ni cuándo vendrá, ni simplemente si vendrá.

Preocúpate, más bien, por vivir el momento presente en todos sus detalles con toda rectitud. Porque centrarte en los detalles incorrectos de tu vida conspiran contra ella y solo te inspiran la muerte.

"Los laicos, incluso cuando están ocupados en los cuidados temporales, pueden y deben desplegar una actividad muy valiosa en orden a la evangelización del mundo... Por ello, dedíquense los laicos a un conocimiento más profundo de la verdad revelada y pidan a Dios con instancia el don de la sabiduría" (LG 35).

Setiembre 8

No te contentes con cumplir con tu deber; eso es mucho, pero no es todo; y tú no debes quedar satisfecho sino con el todo.

Cumple tus deberes hasta en sus mínimos detalles; al fin y al cabo, la perfección suele radicar en los detalles.

Cuando cumplas con tu deber, piensa que la perfección del mismo radica en cada uno de los detalles que presenta.

Y para ello, no te fijes en los demás; no cumplas como los demás; no hagas las cosas porque los demás las hacen. Cada uno tiene su propia personalidad, su propia conciencia, su propia responsabilidad.

Aunque todos a tu alrededor falten y caigan, eso nunca podrá justificar una sola caída tuya. El que los demás lo hagan, no puede justificar que tú también lo hagas.

Ellos podrán tener razones; tú no las tienes.

Tanto la virtud como el pecado son cosas muy personales.

Que cada día seas más fiel a tu conciencia.

"*Porque ya es hora de despertarse, porque la salvación está más cerca de nosotros que cuando abrazamos la fe... Revístanse del Señor Jesucristo y no se preocupen de satisfacer sus bajos deseos*" (Rom 13,11-14).

Quien más, quien menos, todos queremos ser mejores de lo que somos y aun, en cierta medida, nos esforzamos en serlo.

Sin embargo, no siempre conseguimos lo que pretendemos; ¿a qué se deberá tal ineficiencia?

Es que, para ser buenos, queremos hacer más, y no... hacerlo mejor.

Sin embargo, más que pretender hacer, trabajar, actuar, etc., deberíamos fijarnos en los adverbios: plenamente, cuidadosamente, más perfectamente.

No es, pues, cuestión de verbos, sino de adverbios.

No es cuestión de más, sino de mejor.

Santo es, no el que hizo cosas extraordinarias, sino el que hizo las cosas ordinarias de un modo extraordinario.

Piensa que para mejorarte no es preciso que cambies de ocupaciones, sino que te esfuerces por hacer tus diarias ocupaciones con un nuevo corazón.

"*Queridos hermanos, permanezcan firmes e inconmovibles, progresando constantemente en la obra del Señor, con la certidumbre de que los esfuerzos que realizan por Él no serán en vano*" (1 Cor 15,58). *Nada de lo que se hace por el Señor es inútil; aunque Él sabe cuál es el momento oportuno para darle fecundidad y eficiencia.*

Setiembre 10

Cualquier actuación en tu vida tiene una gran importancia, tanto para ti como para todos los hombres.

Si en tal o cual ocasión no procedes mal, el mundo se sentirá un poco menos malo, y esto por ti.

Si en otra oportunidad procedes con rectitud y honradez, el mundo se sentirá algo más bueno, y esto por ti.

De ti depende que el mal aumente en el mundo, o, por el contrario, crezca el bien; que el mundo siga enfermo o sane de sus males.

Que el mundo se sienta más desdichado o más feliz.

Todo depende de ti.

No hables tanto, no critiques tanto, no te amargues tanto; obra más y obra mejor y tu acción será positiva.

No siembres cardos de pesimismos; esparce semillas de bondad.

"*Todos ustedes, que fueron bautizados en Cristo han sido revestidos de Cristo... todos ustedes son uno en Cristo Jesús*" (Gal 3,27-28). *Cristo es el que unifica, el que hace que los hermanos seamos uno, que todos tengamos un solo bautismo y una sola fe, seamos un solo Cuerpo y un solo Amor. Cristo es el principio de la unidad; por tanto, cuando nos falta unidad, es porque nos está faltando Cristo.*

Hazte de vez en cuando esta pregunta:
«¿Para qué estoy yo en la vida?»

Quizá no te la hagas por temor de que te quite el sueño. Te puedo asegurar que es todo lo contrario.

Cuando uno sabe a ciencia cierta para qué está en el mundo, indudablemente no tiene la paz suficiente para conciliar el sueño; al menos un sueño reparador.

Mientras que, cuando se tiene lúcido el horizonte, cuando se sabe a ciencia cierta de dónde se viene y a dónde se va, la tranquilidad del espíritu se trasvasa al mismo cuerpo y éste puede entregarse al descanso y gozar de él de un modo más profundo y reparador.

Es preciso fijarse metas, mirar hacia el futuro y no ahogarse con las limitaciones del presente.

Es preciso recordar que sobre la tierra está el cielo; y el azul del firmamento es siempre más hermoso que el ocre de la tierra.

"*Ya está preparada para mí la corona de la justicia que el Señor, como justo Juez, me dará en ese día y no solamente a mí, sino también a todos los que hayan esperado con amor su manifestación*" (2 Tim 4,8). *Nadie es tan generoso como el Señor; de nadie debes tener tanta confianza como de Él; nada de lo que haces por Él cae en el vacío.*

Setiembre 12

Sucede que los más imperfectos son los que más perfección exigen; los menos humildes son los que menos toleran las faltas de humildad en los otros.

El más humilde es el más comprensivo con las faltas de los demás; el más perfecto es el más comprensivo con las imperfecciones de los demás, porque la virtud es la comprensión de lo no virtuoso, y la imperfección es la intransigencia aun con la misma virtud.

Si eres intolerante con los demás, con tus familiares, con tus hijos, con tus dependientes, con tus vecinos... ¿no será porque no eres tú suficientemente perfecto?

Siempre es bueno juzgarse a sí mismo antes de pretender juzgar a los demás. Pero, eso sí: juzgarse a sí mismo con entera imparcialidad y no con un certificado de buena conducta que nos extendemos ya antes de iniciar el juicio.

"*Escucha, Señor, mi justa demanda, atiende a mi clamor, presta oído a mi plegaria, porque en mis labios no hay falsedad. Tú me harás justicia, porque tus ojos ven lo que es recto*" (Sal 17,1-2). *Todo lo conoce el Señor, todo lo pesa y mide con absoluta imparcialidad y justicia; Él es santísimo y exige la santidad de sus hijos.*

Hay quienes corren el riesgo de comprometerse para toda su vida; hay quienes adoptan como norma de su vida el "¡no te metas!" egoísta y estéril.

Una cosa es "meterse" y otra muy distinta entrometerse.

Está bien que no te entrometas en la vida de los demás; déjales su libertad personal y reconoce el derecho que tienen a mandar ellos en su vida.

Pero "métete" con ellos siempre que eso les suponga un bien; métete, es decir, preocúpate por su bien, por sus problemas, por sus necesidades.

No te aísles dentro de ti mismo, no te cierres en tus propias necesidades y problemas; no limites tu preocupación solamente a ti y a los tuyos.

Convéncete más bien de que, de una u otra forma, todos los seres humanos son "los tuyos".

"*E l Señor preguntó a Caín: «¿Dónde está tu hermano Abel?» «No lo sé», respondió Caín «¿Acaso yo soy el guardian de mi hermano?»*" (Gn 4,9). *Caín pecó por matar a su hermano; pero es que ya lo había matado al despreocuparse de él. Despreocuparse del hermano es despreocuparse de Dios, que es el Padre de ambos.*

Setiembre 14

El apóstol San Pablo dice en una de sus cartas: "¿Quién de ustedes está triste, que yo no me aflija? ¿Quién está necesitado, que yo no me preocupe? ¿Quién está alegre, que yo no me goce de su alegría?".

Indudablemente el apóstol Pablo sabía muy bien que todos los hombres eran sus hermanos y que nada podía suceder a ninguno de ellos, sin que le tocara a él muy directamente.

Todo hombre es mi semejante; es un primer paso, pero no es decisivo. Todo hombre es mi compañero; es un segundo paso, pero no el último. Todo hombre es mi hermano; es finalmente el encuentro de la fraternidad cristiana, que une a todos los hombres en el corazón de Dios.

"Los hermanos sean unidos", dice nuestro poema gaucho.

"Los hermanos ámense y ayúdense unos a otros", agrega el Evangelio.

"*¡Qué bueno y agradable es que los hermanos vivan unidos!*" (Sal 133). *Unirse con los hermanos es unirse con Dios nuestro Padre; desunirse con ellos es aflojar los lazos que unen con el Padre. No olvides que el bautismo no se vive, se convive.*

La perfección no se tiene, pero se adquiere.

Nadie puede llamarse perfecto, pero todos estamos llamados a conseguir la perfección.

A nadie se le puede exigir que alcance la perfección en un solo día, pero todos podemos trabajar de continuo, esforzarnos día a día por alcanzar la perfección.

Nadie llega a ser eminente matemático en un solo día; necesita muchos esfuerzos; nadie se convierte en músico famoso en una semana; se precisan muchos años.

Nadie podrá corregir sus defectos con un solo esfuerzo; pero si ese esfuerzo no lo hace y no lo repite a diario, nunca llegará a ser perfecto.

Es triste tener defectos, pero es mucho más triste hacer las paces con los defectos, resignarse a tenerlos.

"*No tomen como modelo a este mundo; por el contrario transfórmense interiormente renovando su mentalidad, a fin de que puedan discernir cuál es la voluntad de Dios: lo que es bueno, lo agradable, lo perfecto*" (Rom 12,2). *Conocer la voluntad de Dios sobre ti y, una vez conocida, vivirla fielmente: ésa debe ser tu norma de vida en todo y por todo.*

No olvides que lo que nos santifica es la voluntad de Dios.

Setiembre 16

Se habla del cumplimiento del deber, de que todos debemos ser fieles al cumplimiento del deber.

Y esto está bien.

Pero no está tan bien la interpretación que alguno pudiera dar a esa afirmación, como si con ella se pretendiera expresar que no estamos obligados más que al cumplimiento del deber.

Si solamente haces lo que "debes", si te limitas en tus esfuerzos a aquello que "puedes", será difícil que llegues a la perfección.

El amor nunca dice basta, el amor no reconoce límites; si le pones límites de "deber", deja de ser verdadero amor.

Has de hacer lo que "debes", por vocación; lo demás, por amor.

Lo que "puedes", por obligación; lo que "no puedes" por generosidad. El amor y la generosidad aumentan la potencia.

"**N**o te dejes vencer por el mal; por el contrario, vence al mal haciendo el bien" (Rom 12,21). No basta no hacer el mal; es preciso practicar el bien. La virtud no es algo negativo, como el mal; es algo muy positivo, como el bien. No sabe cuánto bien hace el que no hace el mal; pero no sabe cuánto mal hace el que no hace el bien.

Muchos oyen hablar de los santos y no saben lo que es un santo.

Un santo es una apacible mirada que se posa en todos con bondad y para repartir bondad.

Es un rostro abierto para recibir a cuantos se le acerquen.

Es un par de oídos atentos siempre a escuchar la pena de los demás, los problemas de los angustiados.

Es un corazón que se hace lágrimas con el que llora y risas con el que goza.

Es una mano que se tiende blanda y acariciadora para brindar la ayuda que el prójimo necesita y que no se atreve a pedir.

Un santo es un hombre que ha sabido convertirse en un crucifijo de la voluntad de Dios.

¿Estás camino de la santidad? Ves que el camino ni es imposible, ni tan difícil que digamos...

"*Así como aquel que los llamó es santo, así también ustedes sean santos en toda su conducta, de acuerdo a lo que está escrito: Sean santos, porque yo soy santo*" (1 Pe 1,15-16). *No basta ser bueno, con una bondad intransigente; es preciso llegar a ser santo, es decir, un fiel cumplidor de la voluntad de nuestro Padre y esto, por amor.*

Setiembre 18

«Un día más pasado en la virtud y un paso más hacia Dios.»

Cuando escuché esa frase, había tenido un día lleno de amarguras, de dificultades de todo género, de pruebas íntimas y obstáculos exteriores.

Pero me había esforzado por permanecer fiel a mi conciencia, a mis convicciones, a mi deber.

Por eso, cuando escuché esa frase –"Un día más en la virtud es un paso más hacia Dios"– no pude menos de sentir la sensación suave de la caricia de Dios a mi espíritu.

Y las penas se disiparon, la turbación se serenó, la amargura se endulzó y la intranquilidad se calmó.

Porque acercarse a Dios es todo eso: serenidad, dulzura, paz.

"Todo el que tiene esperanza en Él, se purifica, así como Él, es puro. El que comete el pecado, comete también la iniquidad, porque el pecado es la iniquidad. Pero ustedes saben que Él se manifestó para quitar el pecado y que Él no tiene pecado. Todo el que permanece en Él no peca" (1 Jn 3,3-6).

El que dice es muy inferior al que hace.

Mejor es hacer que decir.

Has dicho muchas veces que te ibas a corregir de tus defectos. Que no serías tan impetuoso, tan violento, tan irreflexivo, tan..., lo has dicho muchas veces y te lo has dicho a ti mismo.

¿No habrá llegado el tiempo de hacer más que de decir? Todas las palabras no pesan como una sola obra.

Cuando has hablado a los otros, les has dicho cómo deben ser consigo mismos, con sus familiares, con todos los demás... ¿No será tiempo de que no hables tanto y hagas tú lo que les dices que deberían hacer ellos?

Indudablemente la promesa tiene su valor; al menos denota una buena voluntad que siempre debemos suponer sincera. Pero si la promesa es buena, mucho mejor es la realización.

"Todo el que escucha mis palabras y no las practica, puede compararse a un hombre insensato, que edificó su casa sobre arena" (Mt 7,26). *No basta escuchar la palabra del Señor: es preciso practicarla; por eso María fue proclamada feliz, no tanto por haber escuchado cuanto por haber practicado la palabra del Señor* (Lc 11,28).

Setiembre 20

Tu vida es muy variada; a veces hasta divertida.

Unas veces te rodearán de atenciones; otras se olvidarán de ti.

Unas veces oirás a tu lado alabanzas hasta inmerecidas y otras veces llegarán a tus oídos críticas y murmuraciones de tu modo de proceder.

Un día apreciarán tus valores y al día siguiente no tendrán en cuenta tus méritos. Un día serás el preferido y al día siguiente habrás caído en desgracia de todos.

No debes dejarte engreír los primeros días ni debes dejarte aplastar los segundos. No te autovalorices, pero tampoco te subestimes.

Sonríe a todo y a todos; y sonríe siempre, todos los días, tanto los días de triunfo como los de fracaso.

Todo puede y debe servirte para tu perfeccionamiento.

"Bendito sea Dios, el Padre de nuestro Señor Jesucristo, que en su gran misericordia, nos hizo renacer, por la resurrección de Jesucristo, a una esperanza viva" (1 Pe 1,3). *Nuestra esperanza está en Cristo; así como Él venció al mundo, así también nosotros lo venceremos.*

Hay una persona a la que no es conveniente perdonarle nada; esa persona eres tú y nadie más que tú.

Hay una persona con la que debes ser en extremo exigente; esa persona eres tú, pero nadie más que tú.

Hay una persona con la que debes mostrarte rígido y duro; pero no te confundas: esa persona eres tú, pero nadie más que tú.

Hay una persona con la que nunca debes mostrarte indulgente; esa persona eres tú y solamente tú.

¿No alteras con frecuencia los términos, siendo indulgente contigo y duro con los demás, suave y complaciente contigo y violento y áspero con los demás?

En este caso el orden de factores sí que altera el producto y lo altera fundamentalmente.

"Si no me escuchan y no cumpen todos estos mandamientos; si desprecian mis preceptos y muestran aversión por mis leyes, si dejan de practicar mis mandamientos y quebrantan mi alianza, yo, a mi vez, los trataré de la misma manera" (Lv 26,14-46). *Hay un compromiso entre tú y Dios; si tú no eres fiel, no esperes que el Señor lo sea contigo; todo depende de ti; ya que Dios nunca te fallará.*

Setiembre 22

Dicen que el rostro es el espejo del alma; en él se manifiestan los distintos estados anímicos, las distintas disposiciones internas.

Si no quieres que tu rostro refleje la cólera o el mal humor, no lo fomentes en tu interior; no ofrezcas a tus familiares, a tus dependientes, a quienes tratan contigo o se mueven a tu alrededor, la triste escena de un rostro amargo, aplastado, repelente.

Ofrece más bien un aspecto alegre, optimista, emprendedor; la sonrisa es siempre más atractiva que el ceño adusto o el gesto amargo .

Y no sólo más atractiva sino también más constructiva; serás más, conseguirás más, serás más útil si en tu interior fomentas el orden, la tranquilidad y una serena paz. Los demás te aceptarán mejor porque en tu exterior, en tu rostro, aparecerá tu interior.

"Yo glorifico a mi Dios, el Rey del cielo y mi alma proclama con gozo su grandeza; que todos lo celebren en Jerusalén" (Tob 13,9). Tú tienes sobrados motivos para alabar al Señor y para dedicarte a que todos cuantos te rodean se dediquen también a alabarlo. Todo lo has recibido de Él; vive permanentemente en acción de gracias.

Los días van pasando; una tras otra se van arrancando las hojas del calendario; cada día faltan menos hojas por arrancar.

Los días son semejantes a ese puñado de agua que se nos escurre entre las manos, por más que lo queramos retener.

La vida va pasando, nosotros vamos pasando, pero hay algo que queda; la vida tiene una proyección que permanece; lo bueno y lo malo que en la vida hagamos deja una estela, tanto en nosotros como en los demás.

No podemos decir, con verdad, que lo que hagamos en la vida sea algo sin importancia; nada es pequeño e insignificante si trasciende al tiempo y tiene repercusión en la eternidad.

"Y *por medio de Él, ofrezcamos sin cesar a Dios un sacrificio de alabanza, es decir, el fruto de los labios, que celebran su Nombre. Hagan siempre el bien y compartan lo que poseen, porque esos son los sacrificios que agradan a Dios"* (Heb 13,15-16). *No ofrezcamos a Dios los sacrificios que nos agradan a nosotros; ofrezcámosle los que le agradan a Él. "Yo quiero amor, y no sacrificios; conocimiento de Dios más que holocaustos"* (Os 6,6).

Setiembre 24

¿Has pensado alguna vez en lo que serías capaz de hacer si tú quisieras?

Si quisieras, podrías desparramar a tu alrededor semillas de alegría y de optimismo.

Si quisieras, podrías alargar tu mano para que otros se tomaran de ella, y juntos pudieran seguir adelante cada uno en su deber.

Si quisieras, todos verían en ti una luz que los guiara en su camino, un compañero que suavizara la monotonía del viaje, un amigo que brindara comprensión y afecto.

Si quisieras, podrías hacer muchas cosas para bien tuyo y de los demás.

Si quisieras, podrías hacer todo eso y mucho más.

Si quisieras... si quisieras...

¿Por qué no quieres?

"Enséñame a hacer tu voluntad, porque tú eres mi Dios; que tu espíritu bondadoso me conduzca por una tierra llana" (Sal 143,10). *Pide todos los días que el Señor te dé la fuerza que necesitas para serle fiel en el cumplimiento de su voluntad; rézale con atención y fervor: "Hágase tu voluntad, haz que mi voluntad desaparezca para que aparezca solamente la tuya; que yo no quiera sino lo que tú quieres".*

Vivimos en el mundo del movimiento y del ruido; hoy es imposible detenerse y, sin embargo, quizá por eso mismo estamos obligados a buscar el silencio.

Pero un silencio que no sea tanto externo cuanto interno; un silencio que imponga el ordenamiento de todos nuestros afectos y sentimientos, de nuestros pensamientos e incluso de nuestros problemas y preocupaciones.

Silencio, ante actitudes que pueden herirnos, ante palabras no del todo acertadas, ante olvidos que nosotros no esperábamos.

En esas ocasiones el canto del silencio, en lugar de elevar la estridencia de los gritos o la amargura de la discusión, será más beneficioso.

Ese canto del silencio solamente lo pueden entonar los hombres que saben dominarse a sí mismos y a las circunstancias en las que deben actuar.

"*Más vale maña que fuerza; pero la sabiduría del pobre es despreciada y nadie escucha sus palabras; las palabras de los sabios oídas con calma, valen más que los gritos del que gobierna a los necios*" (Ecl 9,16-17). *No es, entonces, cuestión de hablar mucho, sino de saber hablar lo necesario, y lo conveniente; en no pocas ocasiones será el silencio el que mejor toque el corazón.*

Setiembre 26

El éxito o el fracaso de cualquier misión espacial puede depender de presionar un botoncito insignificante, o de hacerlo un minuto antes y no en el preciso momento.

Tú eres el botoncito sumamente pequeño en el macrocosmos; pero el hecho de que ese macrocosmos de la humanidad se sienta mejor y se perfeccione puede muy bien depender del microcosmos de tu propia vida.

Si tú fracasas, podrá fracasar toda una legión de hombres que presuponían el éxito tuyo personal; si tú fracasas, habrás privado a toda la comunidad de la fuerza y el vigor que de por sí comunica el éxito.

Pero si el éxito no depende de ti, si fracasas, no por haber retaceado tu empeño sino por causas ajenas a tu voluntad, no te desalientes; será Dios el que suplirá lo que tú no supiste poner, lo que no alcanzaste a hacer.

"*Señor, Dios del universo, ¿Hay alguien como tú?...Tuyo es el cielo, tuya la tierra: tu cimentaste el mundo y todo cuanto hay en Él... Tu brazo está lleno de poder, tu mano es fuerte, alta es tu derecha*" (Sal 89,9-14). *¡Cuántos motivos para confiar en Dios! ¡El mayor pecado que puedes cometer es desconfiar de la bondad y del poder de Dios!*

Siempre está en nuestros planes hacer algo; nunca desistimos de pretender hacer algo, pero nunca llegamos a hacerlo.

Tú pasas la vida haciendo planes; esos planes raras veces llegan a ser realidades para ti o para los demás. No son realizados por ti, pues sigues haciendo nuevos planes en lugar de realizar los ya planeados y aprobados; tampoco por los demás, pues no son planes que ellos hayan organizado.

De esta forma, nunca terminas de planificar y nunca comienzas a realizar, y así terminas un año y vuelves a comenzar; y así terminas tu vida y comenzarías de nuevo tu vida, si pudieras.

¿No habrá llegado ya el tiempo de la realización que suplante al de la planificación?

Para ello, planea cosas realizables por ti; entrégate de una vez por todas a una acción de bien; piensa menos y realiza más; no dejes para mañana lo que debes realizar hoy.

" *¿Quién de ustedes, si quiere edificar una torre, no se sienta primero a calcular los gastos, para ver si tiene con qué terminarla? No sea que una vez puestos los cimientos, no pueda acabar y todos los que lo vean se rían de él, diciendo: "Este comenzó a edificar y no pudo terminar"* (Lc 14,28-30). *Muy buenos son, pues, los propósitos; mejores, las realizaciones; más fructífero es prometer poco y cumplirlo que prometer mucho y no cumplirlo.*

Setiembre 28

Es bueno soñar, pero no es bueno soñar tanto, que nunca despertemos del sueño; es bueno caminar en la vida, mirando a las estrellas, pero no es bueno que no nos fijemos dónde posamos los pies al caminar.

Es bueno fijarse en lontananza una meta hacia la cual nos dirijamos, pero no es bueno que nos despreocupemos de lo que sucede a nuestro alrededor.

Es bueno querer mejorar a todos, pero es mejor comenzar por mejorarse a sí mismo. Es bueno querer hacer obras de relieve, pero quizá sea mejor acariciar la cabecita de ese niño que todos los días encontramos en la puerta de nuestro negocio.

Es bueno pronunciar discursos o arengas ante multitudes, pero quizá debamos comenzar por hablar fugaces minutos con el cartero o el lechero, o con el lustrabotas que da brillo a nuestros zapatos.

"*El que es fiel en lo poco, también es fiel en lo mucho, y el que es deshonesto en lo poco, también es deshonesto en lo mucho*" (Lc 16,10). *En las cosas menores es donde se manifiesta el amor; las cosas pequeñas son las que se ofrecen a diario y en las que debes vivir tu amor al Señor.*

Alguien escribió que en el corazón de todo hombre duerme un santo y, al mismo tiempo, duerme un pecador; un hombre vulgar, quizá hasta un criminal y también un santo.

Cada uno de nosotros ha de cobrar conciencia de eso y cada uno de nosotros deberá despertar en sí al héroe y al santo, dejando aletargados al pecador y al criminal.

Si es bueno que el hombre vulgar quede adormecido y anulado en nuestro interior, no será bueno que el santo y el héroe sigan durmiendo e inactivos.

Todos llevamos dentro de nosotros mismos un bloque de mármol del cual podemos tallar o la imagen de un bufón, o el busto de un poeta; de nuestra vida podemos hacer la del hombre que tiene miras rastreras o la del que vive para hacer el bien y para suscitar la inquietud de hacer el bien.

"Sabemos que la Ley es espiritual, pero yo soy carnal y estoy vendido al poder del pecado. Y ni siquiera entiendo lo que hago, porque no hago lo que quiero, sino lo que aborrezco" (Rom 7,14-15). *No te extrañes de experimentar en ti también esta dimensión de pecado, la inclinación al mal; sé humilde como el apóstol y, puesta la confianza en el Señor, sigue en tu esfuerzo por ser cada día un poquito mejor. Y esto a pesar de tus caídas.*

Setiembre 30

Sin la constancia, ninguna virtud es grande.

Esta es la gran diferencia: los héroes y los santos perseveraron en sus propósitos, mientras que nosostros hacemos los mismos propósitos que ellos, pero no perseveramos en su cumplimiento como ellos perseveraron.

Nosotros empezamos con muy buena voluntad, venciendo a veces no pocas dificultades. La cosa al principio "pinta muy lindo". Pero, a poco de comenzar, vamos cediendo en intensidad; luego perdemos ilusión y al fin abandonamos definitivamente.

¡Fue una lástima! ¡Prometía tanto! ¡Esperábamos tanto!

Al fin, nos quedamos sin nada. Y comenzaremos de nuevo, para luego volver a dejar otra vez.

Realmente, sin la constancia, ninguna virtud es grande.

"*Persevera en la fe que aprendiste y de la que estás plenamente convencido: tú sabes de quiénes la has recibido*" (2 Tim 3,14). *Aquello que el Señor te dio a conocer en el día bendito de tu retiro, de tus ejercicios, de tu cursillo, de tu encuentro con Él, todo aquello, no lo olvides; manténlo en lo más profundo de tu ser; puede constituirse para ti en fermento que dé sentido a tu vida.*

OCTUBRE

Santa María,
Madre de
Dios,
ruega por nosotros,
pecadores.

Con no poca profundidad se afirmó que es fácil dejarse elevar en la presentación dde las ofrendas, pero ya no resulta tan fácil dejarse masticar en la comunión.

El racimo de uva luce más cuando la cepa muestra sus granos henchidos y maduros; pero aprovecha más cuando los granos son triturados por los dientes, o en la prensa que los estruja y les arranca su jugo vital.

En no pocas ocasiones nuestra acción podrá ser visible a los demás; quizá, en cambio, nuestra acción será más beneficiosa para nosotros y para los demás cuando el deber nos obligue a permanecer en el silencio de la oscuridad y el desconocimiento o en la inmolación del dolor.

No basta vivir para los demás; será preciso inmolarse, desvivirse por los demás.

"Yo no acepto los holocaustos de ustedes, y sus sacrificios no me agradan" (Jr 6,20). No son los sacrificios lo que agrada al Señor, sino el espíritu con que le ofrecemos esos sacrificios; con razón dice San Juan de la Cruz que "Dios no mira lo que le ofrecemos, sino el corazón con que se lo ofrecemos". Gracias a Dios que así es, pues nada podemos ofrecerle al Señor que sea digno de Él; en cambio, sí le podemos ofrecer nuestro corazón, pequeño y pobrecito, pero todo entero.

Octubre 2

En el siglo de la productividad incentivada, los hombres nos estamos fijando más en hacer que en ser. Sin embargo, el hacer no tiene sentido si no es una exigencia del ser.

El hacer puede convertirse en un activismo, en un dinamismo, en una acción descontrolada, siempre que a ese hacer no responda un ser íntimo y profundo. Porque, en ese caso, ese hacer se convierte en un estéril *aparecer.*

El ser exige una transformación sincera y profunda, que cambia toda mi vida y en consecuencia también el hacer; y cambiar el hacer, porque entonces el hacer es legítimo, auténtico, profundo, apostólico.

Y el único que puede juzgarme si "soy" de verdad es mi propia conciencia, siempre que no la tenga o acallada o deformada; y mi conciencia, en último término, no es sino la voz de Dios.

"**M**uéstrame tu rostro, déjame oír tu voz; por que tu voz es suave y es hermoso tu semblante" (Cant 2,14). *Es bueno hablar a Dios pero no es menos bueno, ni menos provechoso, oír la voz de Dios; nada de cuanto nosotros le podamos decir a Dios lo ignora Él; en cambio, Él puede decirnos muchas cosas ignoradas u olvidadas por nosotros.*

Octubre 3

No basta reflexionar acerca de las relaciones entre hacer y ser; necesitamos también analizar la interrelación entre "tener" y "ser".

Indudablemente, hoy se valora más al que "tiene" que al que "es"; en la escala de valores el tener está por encima del ser.

Sin embargo, el hecho de tener más o menos no cambia fundamentalmente al ser, que sigue siendo sustancialmente el mismo. No podré enorgullecerme de tener si este tener no me sirve para ser más y mejor.

En efecto, el tener tiene valor en tanto me sirve como medio e instrumento para ser más, para realizarme más, para perfeccionarme más: es un medio; debe ser un medio y no un fin.

El tener comporta un verdadero valor, siempre que no se lo saque del campo de la instrumentalidad.

"No se fíen de la violencia, ni se ilusionen con lo robado; aunque se acrecienten las riquezas, no pongan en ellas el corazón" (Sal 62,11). No está el hombre al servicio de las riquezas sino éstas para el servicio del hombre; no debe ser esclavo el hombre, sino esclavas las riquezas; no son malas, no deben tomarse como malas, porque también los bienes de la tierra son bienes de Dios puestos en las manos del hombre para su perfeccionamiento; pero cuando en lugar de servir para ese fin se convierten en obstáculo, ya son algo malo. ¿Tienes apegado tu corazón?

Octubre 4

En muchas ciudades de nuestro medio existe una calle principal, una calle a la que se denomina algo así como "la Vía Blanca", porque está llena de luz.

Hasta existe una ciudad a la que se la conoce con ese epíteto: "la ciudad luz".

El mundo de hoy, el hombre de hoy, necesitan luz, mucha luz blanca, que atraviese el grueso manto de tinieblas que le ocultan la verdad y el bien.

La luz viene de Dios, pero viene a través de los hombres; cada uno de nosotros debe llegar a convertirse en algo así como en un reflector de Dios.

Reflectores que reciban y transmitan y, si es posible, refuercen la luz recibida; reflectores que iluminen y orienten; reflectores que hagan sentirse más seguros a cuantos alcanzan su chorro luminoso.

Disipar tinieblas, transmitir la luz, ¡hermoso ideal!

"*Mi alma tiene sed de Dios, del Dios viviente: ¿cuándo iré a contemplar el rostro de Dios*" (Sal 42,3). *El rostro de Dios será el que hará infinitamente felices a los que gocen de él; tanto más feliz serás en esta vida, cuanto más puedas y sepas descubrir el rostro de Dios en las personas y acontecimientos.*

Octubre 5

Un día comenzó a dolerte la muela, se te hinchó la cara y sentías vergüenza de salir al trabajo con la cara desfigurada; del mismo modo te avergonzaría salir a la calle con el vestido desgarrado o los zapatos rotos...

Sin embargo, deberías sentir mucha mayor vergüenza, no tanto por tu exterioridad, cuanto por tu ser profundo. Si tu interior está desarreglado, desordenado, trastornado, indudablemente tienes motivos más que suficientes para sentirte molesto y avergonzado.

El hombre es más interioridad que apariencia; tú debes tener mucho más empeño e interés en que tu espíritu cultive las virtudes que te harán hombre y santo que en que tu cabello se vea bien peinado o que luzca bien tu corbata.

"*No nos desanimamos: aunque nuestro hombre exterior se vaya destruyendo, el hombre interior se va renovando día a día*" (2 Cor 4,16). *Es normal sentir, de cuando en cuando, desfallecimientos, cansancios, desalientos y aun deseos de dejarlo todo y dedicarse a la vida cómoda y no complicada; pero no debemos ceder a esas tentaciones, que ciertamente no proceden del Espíritu de Dios.*

Octubre 6

Quizá hoy te hayas sentido aplastado y abatido; te habrás ido arrastrando a ras de tierra, sin ánimo de levantar tu mirada. Sin embargo, cuenta la leyenda que Dios creó las aves para que, al oírlas cantar, el hombre levantara sus ojos al cielo.

Así las aves serían embajadoras de Dios; y ¡son tantas y tantas las cosas que pueden ser verdaderamente embajadoras de Dios!

Levanta tus ojos, eleva tu mirada, clávala en el cielo y sigue adelante.

Cuando mañana inicies tu actividad, iníciala con mayor optimismo, con redoblado entusiasmo, con alegría comunicativa y, si acaso vuelves a sentirte abatido, redobla tus esfuerzos para elevarte a las alturas.

De esta forma, sin hablar quizá, tu vida podrá ser un verdadero pregón de Dios.

"*Alzo mis ojos a los montes; ¿de dónde vendrá el auxilio? Mi auxilio viene del Señor que hizo el cielos y la tierra... Te cuida el Señor de todo mal; Él cuida tu vida; el Señor cuida tu salida y tu entrada desde ahora y por siempre*" (Is 43,10). *Si confías en Dios, Él no te faltará; lo que a veces sucede no es que falte la ayuda de Dios, sino tu confianza en Él.*

Octubre 7

¡Qué multitud y qué variedad de seres se van descubriendo día a día! Hasta se van descubriendo nuevos mundos y el hombre va conquistando nuevos espacios inmensos.

Sin embargo, hablando con propiedad, sólo hay dos seres en todo el universo: Dios y yo. Sí, porque Dios está en todo lo creado, está en todos los hombres y yo frente a Él, viéndolo en todo y en todos.

Nada hay, de lo que yo pueda prescindir, como tampoco nada hay que pueda prescindir de mí; ésa será la única forma de beneficiarme yo de todo y de todos.

Todos formamos una sola unidad y, entre los elementos integrados de esa unidad, se da una interrelación que la vincula y hace que unos dependan de los otros.

"*Las Sagradas Escrituras son, en el diálogo mismo, instrumentos preciosos en la mano poderosa de Dios, para lograr aquella unidad que el Salvador presenta a todos los hombres*" (UR 21). *Dios es el Dios de la unidad y no de la división; cuanto tiende a fructificar la unidad, viene de Dios; cuanto disuelve o afloja la unidad, no puede venir del Espíritu de Dios.*

Octubre 8

Es fácil caer en la angustia de preocuparnos en exceso por si nos ven o no nos ven, si nos estiman o no nos estiman, si nos valoran o se olvidan de nosotros, si nos corresponden o nos dejan de corresponder.

No podemos hacer depender nuestra vida de los demás, por más que nuestra vida tenga su proyección en los demás.

Cada uno de nosotros tiene su propia conciencia y a esa conciencia le debe fidelidad; no podemos apartarnos de la ruta del bien y de la verdad, porque los que nos rodean reconozcan o dejen de reconocer nuestras aptitudes, interpreten bien o mal nuestras intenciones, acepten o rechacen nuestra colaboración.

Al fin, nosotros estamos obligados a poner nuestra acción; no estamos obligados a que los demás acepten nuestra acción.

"¿Qué hombre puede conocer la voluntad de Dios o hacerse una idea de lo que quiere el Señor?... ¿Y quién habría conocido tu voluntad, si tú mismo no le hubieras dado la Sabiduría y no le hubieras enviado desde lo alto tu Santo Espíritu?" (Sab 9, 13-17). *Tu devoción al Espíritu Santo, además de moverte a invocarlo al principio de todas tus obras, debe llevarte a recurrir a Él en todo momento en que necesites luz o fuerza.* "Envía tu Espíritu, para darnos nueva vida, y renovarás la faz de la tierra" (Sal 103,30).

Octubre 9

Son muchas las ocupaciones que tenemos a lo largo del día; si no sabemos ordenar nuestras obligaciones, llegamos a vernos abrumados por ellas.

No pensemos en todo lo que debemos hacer a lo largo del día, porque no lo deberemos hacer todo en un solo momento sino poco a poco, una cosa tras otra.

En cada momento hay que concentrarse únicamente en aquello que se debe hacer en ese instante. Nos esperarán luego otras cosas: visitas que hacer, cartas por contestar...; pero todo puede esperar; en cambio, no puede ser prorrogado lo que debes hacer en este preciso instante.

Más que preocuparnos por hacer muchas cosas, será preciso responsabilizarnos por hacer mejor y vivir mejor el momento presente.

No tanto más, sino mejor.

"U stedes se encuentran en la condición mejor, la que conduce a la salvación" (Heb 6,9). *En cada momento el Señor está a tu lado, para instarte a que perfecciones tus obras con mayor rectitud de intención, con mayor pureza de conciencia, con mayor integridad, con mayor intensidad de amor. No dejes pasar ese movimiento del Espíritu.*

Octubre 10

La vida mejor no suele ser la más complicada sino la más sencilla.

A veces soñamos con realizar muchas cosas o cosas de relieve, que nos den importancia y, sin embargo, comúnmente no podremos realizar ni muchas cosas ni cosas de importancia.

En cambio, día a día podemos realizar pocas y sencillas cosas; y esas pocas y sencillas cosas son las que cambiarán nuestra vida y podrán influir en la vida de los que nos rodean.

La sencillez suele ser una característica de las obras mejores; en cambio, las grandes obras suelen perder su grandeza cuando se las complica. El chispazo que ciega no resulta tan útil como la sencilla lámpara, que incesantemente proyecta su débil resplandor.

"*P*ara que sean irreprochables e inocentes, hijos de Dios sin mancha, en medio de una generación extraviada y tortuosa, dentro de la cual ustedes brillan como antorchas en el mundo*" (Flp 2,15). Eso tienes que ser tú, en medio del mundo que te rodea, que es un mundo lleno de conflictos: semilla de renovación, fuerza de superación. "Al vencedor le daré a comer del árbol de la vida, que se encuentra en el Paraíso de Dios" (Ap 2,7). El árbol de la Vida, que produce la alegría del espíritu.

Los medios de comunicación social han llegado a penetrar de un modo absorbente hasta nuestra mayor intimidad.

Estamos todo el día oyendo cosas, palabras, música, consejos, discursos, reclamos, etcétera... Palabras, palabras y nada más que palabras, como dice una canción.

Se organizan reuniones de todo tipo, conferencias a nivel comunal, nacional, internacional. Se habla mucho, quizá demasiado.

No estará mal todo esto; pero no olvidemos que las obras no se realizan por los que hablan mucho sino por los que al menos hacen algo.

Y, cuando esas obras tienen proyección espiritual, recordemos que las obras de Dios no las realizan los que hablan, sino los que dan todo por Dios y por los hermanos.

"*A todos los cristianos se impone la gloriosa tarea de trabajar para que el mensaje divino de la salvación sea conocido y aceptado en todas partes por todos los hombres*" (AA 3). *El apostolado no es algo optativo; es algo exigido por el propio Bautismo y por la Confirmación; cuando, pues, ejerces tu acción apostólica, no pienses que estás haciendo algo más de lo que te corresponde; al contrario, no estás haciendo otra cosa que cumplir con tu estricta obligación de bautizado y de confirmado que ha recibido al Espíritu Santo.*

Octubre 12

La vida de todo hombre tendrá un final, pero un final en el que habrá que enfrentarse con el examen de esa vida. Todos deseamos salir aprobados en ese examen.

Para asegurarnos el "aprobado", no olvidemos que en el examen de la vida a cada hombre se lo examinará no sólo por los trabajos que haya realizado sino también por los motivos que haya tenido en las cosas que haya ejecutado.

Se le acreditarán más los esfuerzos que los resultados, pues no siempre estos responden a la generosidad de aquellos.

Se le mirará más el corazón que las manos.

Al fin, si el corazón está limpio, será imposible que las manos no obren limpiamente.

"*Que Cristo habite en sus corazones por la fe, y sean arraigados y edificados en el amor...*" (Ef 3,17). "*Cuando se reúnan reciten salmos, himnos y cantos inspirados, cantando y celebrando al Señor de todo corazón; siempre y por cualquier motivo, den gracias a Dios, nuestro Padre, en Nombre de nuestro Señor Jesucristo*" (Ef 5,19-20). *Cada una de tus obras se ha de convertir en un himno de alabanza y de acción de gracias al Señor.*

Todos pedimos y todos esperamos conseguir lo que pedimos: mejoras, confort, comodidades, excepciones...

Todos pedimos y son pocos los que dan.

Son pocos los que imitan a Cristo, cuyas manos nunca pidieron y siempre dieron; y porque siempre dieron, se les fueron gastando de tal forma, que hasta se le llegaron a perforar.

Nuestras manos, a semejanza de las suyas, también pueden gastarse y romperse de tanto dar: dar consuelo, dar ayuda, dar comprensión, dar fuerza; dar, dar y siempre dar.

Es la mejor manera de realizarse uno mismo, aun a costa de que se nos perforen las manos, como las de Cristo.

No debemos contentarnos con dar, ni aun con darnos esporádicamente; debemos estar en constante disposición y actitud de darnos; debemos hacer del "darnos" algo así como una especie de estado de vida.

"*¡Maldito el hombre que confía en el hombre y busca su apoyo en la carne, mientras su corazón se aparta del Señor!... ¡Bendito el hombre que confía en el Señor y en Él tiene puesta su confianza, es como árbol plantado al borde del agua, que extiende sus raíces hacia la corriente; no teme cuando vinie el calor...*" (Jer 17,5-8). *El verdadero hijo de Dios no teme, ni aun cuando oiga rugir la tempestad. Sabe que está en Dios y que en Él encuentra seguridad.*

Octubre 14

Un sol radiante y una atmósfera limpia y acariciadora. Pero, en lugar de disfrutarla, corremos el riesgo de desperdiciarla si en nuestro corazón no hay paz.

Cuando no hay paz, hasta el sol parece desagradable y maligno; hasta la tranquilidad de la atmósfera molesta y desagrada.

Un día de viento y lluvia pesado, molesto.

Pero teniendo paz en el corazón, podemos hacer que la lluvia deje de ser molesta y se convierta en canto y música; pegadas las narices contra el vidrio mojado y oyendo el tintineo de la lluvia, podemos hacer que sus gotas repiqueteen en nuestro corazón.

Quiere decir que no son las cosas, sino que es el corazón el que pone en nosotros alegría o tristeza, optimismo o derrotismo, amargura o paz.

"*L os exhorto a comportarse de una manera digna de la vocación a la que han recibido*" (Ef 4,1). *Indudablemente el Señor ha dado a cada uno su vocación personal, que debe vivir; cada uno ha de ser fiel a esa vocación; si te ha llamado al apostolado, es inútil que vayas buscando otras formas de vida cristiana: no las hallarás.*

Hoy se habla mucho del amor; no siempre del verdadero amor. Es que el mundo solamente se salvará con amor y no con odio.

Pero, eso sí, hay que amar a todos sin excepción; aun a los propios enemigos, como lo pide Cristo en el Evangelio.

Hay que amar sin desfallecimientos ni descansos.

Lo mismo en las buenas que en las malas; en la primavera qne en verano; a la persona que nos resulta simpática y a la que nos es antipática; a la que nos hace bien como a la que nos persigue.

Hay que amar a todos sin excepción.

Se han estrenado muchos métodos para arreglar el mundo, y el mundo sigue desarreglado; ¿no será porque no se ha probado el método del amor? Las familias, las personas, ¿no serían más felices si en ellas reinara el amor, en lugar de la incomprensión?

Hay una sola bomba que al estallar no destruye sino que construye: es la bomba del amor.

"*Conozcan el amor de Cristo que supera todo conocimiento, para ser colmados de la plenitud de Dios*" (Ef 3,19). *Cristo es la manifestación del amor del Padre, y el cristiano ha de constituirse en una manifestación de Cristo; así el mundo irá a Cristo por el cristiano, y al Padre por Cristo.*

Octubre 16

Nada se busca hoy, nada se anhela tanto como la paz. La paz para el mundo, la paz para nuestras familias, la paz para cada uno de nosotros.

Pero hay varias clases de paz: la paz de los cipreses del cementerio; la paz de los silencios; la paz envuelta en el canto de los pájaros.

Ninguna de ellas es comparable a la paz que produce en el cada hombre el saber que en su vida se está cumpliendo la voluntad de Dios.

Porque entonces la vida cobra sentido, la vida está fundamentada, asegurada, se halla pacífica.

Cuando todo está en su sitio, cumpliendo con su función, es cuando se goza de paz; si todo en mí se halla ordenado según la voluntad del Creador, podré gozar de una profunda y auténtica paz interior.

"La Iglesia está fortalecida con la virtud del Señor resucitado, para triunfar con paciencia y caridad de sus aflicciones y dificultades, tanto internas como externas, y revelar al mundo fielmente su misterio, aunque sea entre penumbras, hasta que se manifieste en todo el esplendor al final de los tiempos" (LG 8).

La vida se desarrolla en una continua tensión entre el "ahora" y el "después".

Hay entre ambos una relación de dependencia muy íntima; el después depende del ahora. A un ahora lento, inactivo, cerrado, sin luz, habrá de corresponder necesariamente un después de tinieblas, de desilusión, de fracasos, de ostracismo.

En cambio, al ahora entregado, al ahora sacrificado en aras de los demás y de la propia perfección, sucederá infaliblemente el después gozoso, satisfecho, feliz y pleno.

En resumidas cuentas, el después no se construye sino con los ahoras de cada momento y será imposible pretender un futuro después feliz y satisfecho, si los ahoras de cada momento no se realizan con toda plenitud de vida, con todo entusiasmo de acción, con toda la entrega de un amor verdadero y pleno.

Mañana será el proyecto de pasado mañana y así sucesivamente.

"Ten piedad de nosotros, Dios, dueño de todas las cosas; infunde tu temor a todas las naciones... Dales la recompensa a los que te aguardan... Escucha la oración de los que te suplican para que todos los que viven en la tierra reconozcan que tú eres el Señor, el Dios eterno" (Eclo 36,1-17). *Pero Dios tiene determinado hacer todo eso por ti; tú serás su instrumento consciente y libre y, por eso, meritorio.*

Octubre 18

A veces nos quejamos de que nuestra vida está resultando monótona y sin proyección y quizá seamos nosotros mismos los culpables de ello.

En efecto, nos desubicamos cuando pensamos que no está a nuestro alcance el hacer de nuestra vida algo maravilloso.

Piensa que nunca es poco, cuando lo que se da es todo lo que uno tiene. No mires a lo que das, sino al corazón con que lo das. Si lo que puedes dar es poco, ciertamente el corazón con que lo puedes dar nunca es poco.

El amor es el detalle de la fidelidad: la fidelidad es el amor en los detalles; y los detalles suelen ser pequeños y quizá pasan inadvertidos; sin embargo, en ellos consiste la perfección y en ellos hay que poner el amor, en ellos se debe vivir el amor, tanto el amor a Dios como el amor a los hermanos.

"*Porque el mismo Hijo del hombre no vino para ser servido, sino para servir y dar su vida en rescate por una multitud*" (Mc 10,45). *Y tú, como líder cristiano, has de cobrar conciencia de que estás para eso: para servir y no para servirte de los demás; para servirlos a ellos y no para que ellos te sirvan. Si esto lo tienes muy presente, cambiarán muchas de tus actitudes.*

Octubre 19

¿Has pensado alguna vez en la maravilla que son tus ojos? En ellos cabe todo el universo, con ellos abarcas la inmensidad, pues puedes posarlos en la flor que crece a tu paso y en las estrellas que voltean sobre tu cabeza.

En esa pequeña flor, lo mismo que en esas estrellas... en las nubes arreboladas, lo mismo que en las montañas cubiertas con el turbante de la nieve bruñida, debes contemplar la grandeza de Dios, que pudo hacer la violeta humilde e insignificante y la montaña majestuosa.

Cada lucero en la noche es como una balada de amor que se asoma al ventanal de la Creación. Cada estrella es una firma divina sobre el pergamino del cielo.

Es bueno que nos acostumbremos a saber leer las firmas de Dios en todo lo que nos rodea; al fin, Dios lo escribió para nosotros.

"*E xaltado por el poder de Dios, Él ha recibido del Padre el Espíritu Santo prometido, y lo ha comunicado como ustedes ven y oyen*" (Hch 2,33). *También en ti derramará Dios su Espíritu, si es que sabes disponerte con verdadera humildad; y con el Espíritu de Dios podrás hacer y decir cosas que nunca soñaste.*

Octubre 20

Cuando sufrimos por la persona o por el ideal que amamos, indudablemente obtenemos la prueba más convincente de que de veras lo amamos.

El sufrimiento acrisola el amor y lo hace más puro y generoso; no debemos quejarnos nunca de que debamos sacrificarnos por aquellas cosas o personas que amamos.

Si no quieres sufrir, renuncia a amar.

Pero si no amas, ¿me puedes decir para qué quieres vivir?

Ahí tienes tres realidades que, en último término, no son más que una sola: sufrir, amar, vivir.

Si deseas, cámbialas de orden: vivir, amar, sufrir... o como tú quieras; pero siempre habrá entre ellas una conexión que las vuelve inseparables.

No te fijes tanto en que estás sufriendo; fíjate más bien en que estás amando, o en que estás viviendo; entonces el sufrimiento tendrá otro sentido y tú cobrarás mayores fuerzas.

"*La Iglesia Madre no cesa de orar, esperar y trabajar y exhorta a sus hijos a la purificación y renovación, a fin de que la señal de Cristo resplandezca con más claridad sobre la faz de la Iglesia*" (LG 15). *La purificación nunca se realiza sin dolor; acepta tu dolor como acto de purificación.*

Más de una vez habrás tenido una pesadilla, ¿verdad? Te sentías angustiado... Pero de repente despertaste y la angustia se disipó y la pesadilla desapareció y tu espíritu se sintió aliviado.

Esto es lo que puede sucederte con relativa frecuencia en tu vida; el dolor puede serte de no poca utilidad aunque te resulte amargo, como amarga es la medicina, sin dejar de ser en extremo beneficiosa.

El dolor puede ser un despertador excelente con el que Dios te haga «despertar» de tus sueños irreales o de tus letargos infecundos.

El dolor puede acercarte a Dios, si es que lo sabes sufrir, pues de lo contrario quizá te sirva para alejarte más de Dios.

Todo depende del modo como te decidas a llevar tu dolor.

Todo depende de que hagas del dolor tu despertador o lo conviertas, por el contrario, en aplanadora que te aplaste y te destruya.

"Este es el gran misterio del hombre, que la Revelación cristiana esclarece a los hombres. Por Cristo y en Cristo se ilumina el misterio del dolor y de la muerte, que fuera del Evangelio nos envuelve en absoluta oscuridad" (GS 22). Un misionero claretiano exclamó: "Nunca me he sentido tan apóstol como ahora que sufro para ser fiel a mi misión".

Octubre 22

Te quejas de que te sientes solo y es que no has llegado a descubrir los secretos de la soledad.

Soledad no es la de los picos nevados de nuestros Andes ni la de la pampa dilatada e infinita; ni la del arenal del desierto; ni la de las grandes cascadas de aguas, que rompen el silencio con el trueno siempre tenso del quebrar de sus aguas.

La soledad es más bien el silencio pacífico, el atardecer sereno, el retiro del bullicio; y todo eso puede ser ocasión de que te acerques más a Dios.

Porque donde hay mucho ruido, no es fácil reconocer la voz de Dios, ya que la voz de Dios es muy suave; es preciso hacer silencio a nuestro alrededor para poder captarla.

La soledad podrá hacer que te conozcas a ti mismo adentrándote en tu interior, en tu propia conciencia, y contemples tu propia vida.

Soledad no es peso; es alivio. No es tortura, es paz.

"*Una voz proclama: ¡Preparen en el desierto el camino del Señor, tracen en la estepa un sendero para nuestro Dios*" (Is 40,3). "*Por eso yo la seduciré, la llevaré al desierto y le hablaré a su corazón*" (Os 2,16). *Muchas veces la voz de Dios solamente puede escucharse en el silencio y en la oración.*

No digas nunca: "Ya no puedo más".

No sabes cuánta es la fuerza que descubre en sí el que se mira por dentro, el que se decide a seguir realizando esfuerzos cada vez más redoblados.

No digas que no puedes más, cuando se trata de corregir tus defectos; siempre puedes poner un esfuerzo más.

No digas que no puedes más, cuando se trata de sufrir; ciertamente que no ha llegado a lo que otros están sufriendo a tu lado; si ellos pueden más, ¿por qué tú no podrás?

No digas que no puedes más, cuando se trata de ayudar a los otros; es tanto lo que tú tienes para darles, que nunca darás lo suficiente y nunca te darás del todo.

Sé más optimista contigo mismo, tente más confianza, cobra más valor, dilata tus horizontes, descubre nuevos campos de acción. Sea éste tu lema: "¡Siempre más y siempre mejor!".

"Trabajen *por su salvación con temor y temblor, porque Dios es el que obra en ustedes el querer y el hacer, conforme al designio de su amor"* (Flp 2,13). *Si de Dios procede nuestro querer y nuestro hacer, a Dios debemos recurrir, siempre que sintamos que nuestras fuerzas y nuestro entusiamo van disminuyendo o apagándose.*

Octubre 24

¿Te has fijado cómo se consume la vela? Da luz, disipa tinieblas, pero a costa de su propia existencia; se va consumiendo, deshaciendo, desapareciendo... Cuando más luz da, menos le queda para ella.

Y cuando ya no puede ser útil, deja de existir.

Así tenemos que ser nosotros: debemos dar luz a costa de nuestra muerte total.

Este ha de ser nuestro programa de vida: dar la felicidad a los otros, aunque ello suponga que nosotros nos deshacemos y desaparecemos.

Cuando la madre da la vida a su hijo, pierde algo de sí; pero ella no desaparece del todo; queda en su propio hijo; en su hijo cobra nueva vida, más joven, más llena de posibilidades.

Es hermoso llegar al final de la vida teniendo conciencia de que nos hemos consumido por el bien de los demás.

"*Mediante una sola oblación Él ha perfeccionado para siempre a los que santifica*" (Heb 10,14). *Llegaremos a la perfección si nos entregamos a los demás, pero también es cierto que la mejor forma de disponernos para entregarnos a los demás es trabajar por nuestra perfección.*

No es difícil ser valiente, sentirse valiente, cuando todo va saliendo bien; y aun tampoco es difícil sentirse valiente mientras se está en la lucha.

Es que la lucha templa los aceros del espíritu.

Pero sentirse valiente en la derrota, eso ya no es tan fácil.

Sentirse con ánimo de seguir adelante cuando todo se derrumbó, cuando todo salió mal, eso es propio solamente de los verdaderos valientes.

Sentirse con fuerzas y ánimo aun en la propia derrota, está reservado a los hombres auténticos, que han puesto su confianza en Dios, que de la derrota más humillante son capaces de hacer surgir la más espléndida victoria.

No te olvides de que las grandes victorias pueden estar muy cercanas a las grandes derrotas; está en ti y en Dios el que la derrota se convierta en victoria.

"**N**o pierdan ahora la confianza, a la que está reservada una gran recompensa. Ustedes necesitan constancia para cumplir la voluntad de Dios y entrar en posesión de la promesa" (Heb 10,35-36). *Hay que tener también paciencia en nuestros mismos fracasos, en las mismas derrotas y caídas; Dios permite todo eso en nuestra vida, nvitándonos a mantenernos en la humildad.*

Octubre 26

Cuando el grano de uva es deshecho por la prensa que lo tritura, se convierte en jugo dulce y vitalizador.

Cuando la aceituna pasa por el molino, se hace aceite suave y acariciante.

El dolor nos ayuda a comprender a los demás y sirve como bálsamo sobre los desgarros y heridas de todos.

Es bello vivir una vida difícil, pero con la sencillez del ambiente diario; a cada acto difícil, a cada momento arduo, pongamos el beso de la sencillez.

Las horas más difíciles de nuestra vida son las que mejor nos moldean; las dificultades tallan la verdadera personalidad de cada uno de nosotros.

Así, no te acostumbres a quejarte de las cosas que a diario te suceden; más bien acostúmbrate a ir subiendo la cuesta del cumplimiento de tu deber, repechando sus empinadas laderas y entonando al mismo tiempo un canto a tu cruz.

"*Esta es la Alianza que haré con ellos, después de aquellos días, dice el Señor: Pondré mis leyes en su corazón y las grabaré en su conciencia, y no me acordaré de sus pecados*" (Heb 10,16-17).

El trigo va granando en la espiga; pero solamente se llegará a convertir en hostia que se ofrece cuando sea puesto sobre la patena, para llegar a ser Eucaristía.

Cada uno de los actos de tu día podrá llegar a ser transformado en vida, en acción, en fecundidad, en Dios.

Pero antes deberás ponerlo en la patena de tu ofrecimiento, a fin de que se eleve sobre la materialidad de la vida y se llegue a convertir en espíritu.

Y así toda tu vida será un verdadera misa que trasforme y cambie tu existir, que te acerque a Dios y te haga comunión y sacrificio.

Un sacrificio redentor y transformador; desaparecerás tú y, en cambio, en lugar tuyo aparecerá Dios.

Y cuando Dios aparece, todo se ve de otra forma y de otro color, a todo se le da otro significado y otra dimensión; en todo se descubre una proyección más dilatada y promisoria.

"Nuestra angustia, que es leve y pasajera, nos prepara una gloria eterna, que supera toda medida; porque no tenemos puesta la mirada en las cosas visibles, sino en las invisibles: lo que se ve es transitorio, lo que no se ve es eterno" (2 Cor 4,17-18). Todo pasa y pasamos nosotros con todo; solamente permanece Dios y lo que es de Dios.

Octubre 28

Compadecer es padecer con otro; pero no se puede padecer con otro si antes no se ha padecido solo.

Comprender es aprender con otro; pero eso requiere que antes hayamos aprendido nosotros solos.

Por eso, no debes juzgar que estás perdiendo el tiempo ni los esfuerzos cuando estás sufriendo solo; te estás capacitando para sufrir con los demás.

Quien sabe sufrir, sabe hacer sufrir menos; quien sabe llorar, sabe comprender mejor a los que lloran.

A veces se sufre más de lo que Dios quiere, o porque se sufre como Dios no quiere, o porque no se sufre con los demás.

No se puede llegar a comprender lo que significa una lágrima si antes no se ha gustado su sabor salado rodando por las propias mejillas y llegando a los propios labios.

¡Qué cosa llamativa! Las lágrimas propias saben a salado; las lágrimas de los demás saben a dulce cuando se mezclan con las propias.

"*Escucha, Señor, mi oración, presta oído a mi clamor, no seas insensible a mi llanto, porque soy un huésped en tu casa, un peregrino lo mismo que mis padres*" (Sal 39,13). *Dios siempre escucha nuestras súplicas, si es que éstas se presentan con la debida humildad y confianza en su bondad infinita.*

Octubre 29

Modernamente se está hablando mucho de complejos que alteran la vida del hombre.

Unos tienen complejos de inferioridad, que los anulan.

Otros, complejos de timidez, que los inhiben.

No faltan quienes experimentan el complejo de superioridad o de dominio, que los lanza a empresas desorbitadas que ineludiblemente terminan en fracasos desalentadores.

Dicen los psicólogos que, quien más, quien menos, todos estamos en el ámbito de algún complejo.

¿Por qué entonces extrañarse de tener cierto «complejo» de Dios?

Si, al fin y a al cabo, es el único complejo verdaderamente liberador, el único que no aplasta, sino que alienta, el único que no corta las alas sino que las extiende y aumenta su potencialidad.

Ver en todo a Dios no destruye la propia personalidad, sino que la reafirma, la orienta, la fundamenta y robustece.

"Exaltándose a sí mismo el hombre como regla absoluta, o hundiéndose hasta la desesperación, la duda y la ansiedad se siguen en consecuencia... La Biblia nos enseña que el hombre ha sido creado a imagen de Dios, con capacidad para conocer y amar a su Creador y que por Dios ha sido constituido señor de la entera Creación visible, para gobernarla y usarla, glorificando a Dios" (GS 12).

Octubre 30

Son desesperados los esfuerzos que el hombre realiza para conseguir la felicidad; ¿por qué no llega nunca a alcanzarla de un modo pleno?

Es que un ser no será feliz hasta que no posea aquello para lo que fue creada su naturaleza.

El corazón humano ha sido creado solamente para Dios y, en consecuencia, será feliz en la medida en que se acerque a Dios, se haga poseer por Dios, viva para Dios.

Los pulmones no viven sin oxígeno, los ojos sin luz, la flor sin la caricia del sol, el pájaro sin los dilatados espacios... y el hombre no puede vivir sin Dios.

Dios para él es el oxígeno, la luz, el sol, el espacio, la vida; Dios es la apetencia más urgente de todo su ser.

"*Señor, eres justo en todo lo que has hecho por nosotros, todas tus obras son verdaderas, tus caminos son rectos, y todos tus juicios, verdad*" (Dn 3,27). *Siempre está bien lo que Dios hace; siempre busca Él nuestro bien personal, por más que en determinadas ocasiones nosotros no alcancemos a comprender cómo todo eso contribuye a la gloria del Señor o a nuestro bien personal. Se impone un acto de fe, impulsado por el amor.*

Dice la Biblia que Dios hizo al hombre a su imagen y semejanza; esta afirmación está henchida de significado.

Esa imagen y semejanza de Dios deberá existir en todas y cada una de nuestras acciones exteriores e interiores, de tal forma que Dios pueda reflejarse y contemplarse a sí mismo cuando se asome a la ventana de nuestro espíritu.

Cada acción del día de mañana deberá ser, pues, una semejanza de Dios.

En cada una de ellas deberemos poder hallar un destello de Dios por el que cuantos nos rodean puedan llegar a descubrirlo en nosotros.

Cada uno de nuestros actos deberá llevar un poco de la belleza de Dios, de la bondad de Dios, del amor de Dios.

Así, más que vivir nosotros en el día de mañana, será Dios el que vivirá en nosotros.

"*Ahora te seguimos de todo corazón, te tememos y buscamos tu rostro. No nos cubras de vergüenza, trátanos según tu bondad y la abundancia de tu misericordia*" (Dn 3,4-42). *Nos conviene más fiarnos en la bondad de Dios que en la de las criaturas.*

NOVIEMBRE

Dios rescatará mi
vida de la muerte.
Me sacará de
las garras del abismo.
Salmo 49,16

Noviembre 1

Hubo un gran hombre, de apellido Carducci, de fuertes pasiones y de indomable carácter. Espíritu ardiente, no conoció las medias tintas.

No tuvo formación religiosa; por eso fue ateo y dedicó no pocos esfuerzos a combatir la idea de Dios. Para él, Dios era un mito; pero un mito pernicioso, que por eso había que combatir, a fin de desterrarlo del corazón del hombre.

Pero un día Carducci salió a pasear a la playa y en un rapto de muda contemplación frente a la inmensidad del mar rompió su gran silencio con este grito: "¡Creo en Dios!"

La serena majestad de aquella inmensidad de agua arrancó de Carducci lo que tenía escondido y acallado en su conciencia.

Es que en los grandes silencios del hombre siempre aparece Dios.

"*Otros ni siquiera se plantean la cuestión de la existencia de Dios porque, al parecer, no sienten inquietud religiosa alguna y no perciben el motivo de preocuparse por el hecho religioso*" (GS 19). *La inquietud de Dios, el hambre de Dios, esto es algo que, pese al ateísmo moderno, siente el hombre en todos sus niveles. Es que Dios es el oxígeno para los pulmones de la vida.*

Noviembre 2

Saber callar cuando hay que callar es toda una sabiduría; pero saber hablar cuando hay que hablar no es menos sabiduría.

Hablar cuando es conveniente callar es condenarse al fracaso; es echar a perder las cosas o quizá empeorarlas.

Callar cuando es prudente hablar es signo indudable de cobardía; es no cumplir con el deber.

El silencio será beneficioso cuando sea más prudente callar; será dañino cuando surja la obligación de hablar.

La palabra será útil y productiva cuando salga de un generoso deseo de ayudar al hermano; será contraproducente cuando vaya envuelta en sentimientos egoístas o en deseos de humillación para los demás.

Silencio y palabra, callar y hablar... habrá que irlos moderando y aplicando con prudencia, con esa prudencia que los convertirá de vicios en virtudes.

"*Guarda tu lengua del mal, y tus labios de palabras mentirosas; apártate del mal y parctica el bien, busca la paz y sigue tras ella*" (Sal 34,14). "*La lengua es un miembro pequeño y, sin embargo, puede jactarse de grandes cosas... Ningún hombre ha podido dominar la lengua, es un flagelo siempre activo, lleno de veneno mortal*" (Sant 3,5-8).

Noviembre 3

La vida es distinta si se proyecta sobre ella un rayo de alegría.

Has de ser alegre y optimista, sin dejarte desorientar o amargar por tantas injusticias como ves en la vida.

¿No será que Dios tiene sobre ti el proyecto de que el mundo se sienta un poco mejor porque tú contribuyas a elevarlo?

No seas como aquellos que siempre están criticando y lamentando que el mundo de hoy va mal, que la sociedad no es una sociedad auténtica, pero ellos nunca hacen nada para que eso no suceda.

Has de ser como el agua cantarina del arroyuelo que, mientras va derramando humedad y vegetación, se desliza cantando su salmodia de fecundidad.

No mires sólo los horizontes oscuros; aun cuando una pena muy honda muerda tu espíritu, lleva la frente bien alta, los ojos llenos de luz, la sonrisa en los labios, la paz en el corazón.

"*Cuídense de las murmuraciones inútiles y preserven sus lenguas de la maledicencia; porque la palabra más secreta no se pronuncia en vano y la boca mentirosa da muerte al alma*" (Sab 1,11). "*Procedan en todo sin murmuraciones ni discusiones...*" (Flp 2,14). *Se habla mucho de críticas constructivas, pero ¡es tan fácil ver la destrucción y somos tan ciegos para descubrir la construcción!*

Noviembre 4

La alegría es la señal patente de que Dios está en el alma.

Paul Claudel pone en boca de uno de sus personajes: "Dios mío, tú me habías dado la posibilidad de hacer que todo aquel que me mirara tuviera deseos de cantar, como si yo le diera el tono en voz baja".

Muchos esperan ser felices para reírse; por eso quizá mueren sin haber reído nunca, pues no han sido felices por no haber encontrado nunca a Dios, que es la verdadera fuente de toda alegría.

Has de procurar que tu vida no sea una risa; pero también has de esforzarte para que tu risa sea vida: algo que vivifique a cuantos te rodean.

Muchas veces se te presentarán oportunidades de ofrecer esta limosna a un prójimo necesitado de tu ayuda: todos necesitan la ayuda de tu sonrisa.

"*E l necio se ríe a carcajadas, pero el hombre sagaz sonríe apenas y sin estrépito*" (Eclo 21,20). *Quiere esto decir que la alegría del hombre sensato, del hombre que posee a Dios, es una alegría, por lo profunda, serena y permanente, que no se disuelve con el estruendo de una carcajada sino que penetra el fondo del corazón, lo invade y tranquiliza.*

La gran preocupación del hombre es cómo hacer para sacarse la cruz de los hombros.

Son inmensos los esfuerzos que está haciendo el hombre para evitar la carga de la cruz, del sufrimiento; se quiere tener una vida sin ninguna sombra de sufrimientos, sin dolores, sin problemas; pero en ese afán desmedido el hombre encuentra su penitencia.

Es que el hombre de hoy desconoce que al sufrimiento puede dotársele de verdadero valor, lo desconoce y lo rechaza. En su esfuerzo por hallar una vida sin sufrimiento, halla sufrimientos sin vida, es decir, sin sentido, sin proyección y eso es precisamente lo que lo amarga: que no pueda escaparse de sufrir y que no le vea ningún sentido a su sufrimiento.

Hablando en cristiano, diríamos que el que pretende encontrar un Cristo sin cruz, encontrará una cruz sin Cristo; y una cruz sin Cristo resulta abrumadora, amarga, insoportable de llevar sobre los hombros, imposible de llevar en el corazón.

"*Caminando la Iglesia en medio de tentaciones y tribulaciones, se ve confortada con el poder de la gracia de Dios, que le ha sido prometida para que no desfallezca de la fidelidad perfecta por la debilidad de la carne; antes, al contrario, persevere como Esposa digna de su Señor y bajo la acción del Espíritu Santo no cese de renovarse hasta que por la cruz llegue a aquella luz que no conoce el ocaso*" (LG 9).

Noviembre 6

"Felices los pobres... felices los mansos... felices los que sufren... felices los pacíficos... felices los que tienen hambre y sed de justicia..."

Así fue desarrollando su magistral lección el Maestro de Nazaret. Si algún día los hombres nos decidiéramos a aceptar en serio esas enseñanzas del sermón del Monte, la tierra se convertiría en un remanso de felicidad y de paz.

Nunca los poetas ni los filósofos o sociólogos trazaron un plan de acción tan humano como ése; nunca oyeron afirmaciones tan extrañas, pero tan consoladoras, y nunca se trazó un programa de acción y vida como este programa del Evangelio.

Allí aprendieron los hombres que hay ciertos valores en la vida que están sobre el valor del dinero; que hay ciertas cosas que no son materiales y que pueden llenar el corazón humano.

Allí se convencieron los hombres de que deben preocuparse los unos por los otros.

"*Cristo fue enviado por el Padre a evangelizar a los pobres y levantar a los oprimidos* (Lc 4,18), *para buscar y salvar lo que estaba perdido* (Lc 19,10); *así también la Iglesia abraza con su amor a todos los afligidos por la debilidad humana; más aún, reconoce en los pobres y en los que sufren la imagen de su Fundador, pobre y paciente, se esfuerza en remediar sus necesidades y procura servir en ellos a Cristo*" (LG 8).

Hay dos objetos que a menudo usamos y que pueden proporcionarnos hermosa enseñanza para nuestra vida práctica: la cera y el pan.

El pan que a diario comemos... Cuando queremos afirmar la bondad de una persona, decimos de ella: "Es más buena que el pan"; y con eso decimos todo.

Es que ser *pan* para los otros es servir de gusto y utilidad a los demás; y después de eso, o precisamente por eso, dejarse cortar, dejarse tostar, desmigajar, masticar y triturar o quizá dejarse tirar.

Para la mansa cera, dar la vida a otros es morir.

Y dar la vida a los otros es entregarlo todo por ellos, todo: cansancio, tiempo, preocupaciones, sonrisas, palabras... todo sin excepción.

Y eso lo debemos hacer sin esperar nada de los demás.

La conjugación del todo y de la nada es lo que constituye el secreto de la perfección.

"¡Que el sabio comprenda estas cosas! ¡Que el hombre inteligente las entienda! Los caminos del Señor son rectos: por ellos caminarán los justos, pero los rebeldes tropezarán en ellos" (Os 14,10). No te apartes del Señor, sigue siempre sus caminos, observa siempre su santa ley; de esto nunca te podrás arrepentir.

Noviembre 8

Las puertas parecen más hermosas cuando están abiertas que cuando las vemos cerradas.

Que tu corazón sea una puerta abierta de par en par para todos los hombres; no lo cierres a nadie.

Quizá alguien te acaba de lanzar una piedra: la piedra de una calumnia, de un desdén, de un desprecio... Cuando aprietes su mano, si lo haces con sinceridad y con amor, le estarás abriendo tu puerta, esa puerta que él inconscientemente quiso apedrear.

Cuando sonríes de verdad y no fingidamente al que habló mal de ti, en lugar de vengarte, estás abriendo tu puerta para que por ella penetre quien no supo ser ni justo ni caritativo.

Y de esa forma tú harás que, comenzando por ti, todos vayamos siendo un poco mejores, todos abramos las puertas de nuestro corazón; y cuando los hombres no escondan en su corazón falsía ni hipocresía, entonces y sólo entonces el mundo se sentirá mejor.

"**S**iempre nos comportamos como corresponde a ministros de Dios... con integridad, con inteligencia, con paciencia, con bondad; con docilidad al Espíritu Santo, con un amor sincero..." (2 Cor 6,4-6). El fingimiento, la falta de sinceridad, es lo más opuesto al Evangelio, al testimonio que como apóstol de Cristo, debes dar. Si el mundo de hoy busca y exige la autenticidad, ¿cómo no la va a exigir de aquellos que se dicen seguidores y aun apóstoles de Cristo?

Se van pasando los días; se va acercando el fin del año. Esto nos debe hacer pensar que nuestro destino final no puede limitarse a este mundo de aquí abajo.

Los hombres somos peregrinos de este mundo; somos ciudadanos de otra patria, hacia la cual vamos yendo y en la cual moraremos definitivamente.

Hay una estrella en nuestro camino y esa estrella es la que debe guiarnos no solamente hacia la patria definitiva, sino para seguir la ruta mientras vamos peregrinando.

Mientras vamos caminando debemos construir un nuevo mundo, anticipo de aquel reino de Dios venidero que será reino de justicia, de verdad y de amor.

De nuestra vida terrenal, sembrada de justicia y de amor, surgirá el nuevo mundo, empapado de felicidad y de paz.

Somos caminantes, somos peregrinos, dejemos una estela de verdad y de bien.

"*La semilla de eternidad que el hombre lleva en sí, por ser irreducible a la sola materia, se levanta contra la muerte*" (GS 18). No es, pues, la muerte lo definitivo; después de la muerte se abren unas puertas de luz y de nueva vida, que ya no será sucedida por ninguna otra muerte: plenitud de vida y plenitud de realización.*

Noviembre 10

¿Conoces la "Canción de la alegría"? Está hecha para aquellos que se dejan abrumar por la tristeza.

Pero la canción te advierte sabiamente que si no encuentras la alegría en esta tierra, puedes buscarla más allá de las estrellas.

Si en tu camino sólo existe la tristeza y el llanto amargo de la soledad completa, canta la canción de la alegría, búscala sobre tu cabeza, en lo alto de los cielos.

El que espera un nuevo día más lleno de sol, más diáfano y puro, no podrá menos que entonar la canción alegre del que espera la felicidad, por más que en estos momentos deba sufrir el peso del camino.

Sueña cantando, vive no tanto soñando cuanto pregustando el nuevo día, el nuevo sol, la nueva vida; si la música espanta las penas, y el canto hace olvidar la tristeza, la alegría de tu espíritu producirá en ti mayor optimismo y te comunicará mayores deseos de vivir.

"Mientras toda la imaginación fracasa ante la muerte, la Iglesia, aleccionada por la Revelación divina, afirma que el hombre ha sido creado por Dios para un destino feliz, situado más allá de las fronteras de la miseria terrestre" (GS 18). Esta esperanza en un más allá feliz no inhibe al cristiano para que asuma su responsabilidad del presente, matiza su presente con una energía desconocida para el que no tiene fe.

Noviembre 11

Es una buena costumbre iniciar el día ofreciendo a Dios todas las obras; te propongo esta sencilla oración, que puede resumir tus sentimientos más profundos:

"Señor, al comenzar este nuevo día te ofrezco las penas y alegrías, los esfuerzos y dificultades, las horas de diversión y de trabajo.
Acéptalas, Señor, por los oprimidos, por los que sufren, por los que tienen hambre y frío. Sobre todo, Señor, por aquellos que de una u otra manera necesitan ser liberados de la opresión de sus propias pasiones.
Danos a todos un corazón noble y generoso, grande como el horizonte, indómito para la injusticia y la mentira, sediento de infinito, a fin de colaborar en la construcción de un mundo mejor".

Sencilla oración que puede hacerte pasar tu día con más fecundidad.

"*Deben los fieles conocer la íntima naturaleza de todas las criaturas, su valor y su ordenación a la gloria de Dios. Incluso en las ocupaciones seculares deben ayudarse mutuamente a una vida más santa, de tal manera que el mundo se impregne del espíritu de Cristo y alcance su fin con mayor eficacia en la justicia, en la caridad y en la paz*" (LG 36).

Noviembre 12

No todos los días son iguales, ¿verdad?

Pues bien, tú que corres, no te agites; tú que vives, no te angusties; tú que dudas, no vaciles.

Si corres, no te precipites; si vives, no te desorientes; si estás angustiado, no te oprimas.

Será preciso correr, vivir, angustiarse; la vida es todo eso; pero en todo momento habrá que tener presente la moderación; para todos es la regla de oro que debe regir nuestros actos.

Cristo dijo que Él es el Camino, la Verdad y la Vida.

Si vas por ese Camino, no te extraviarás; si aceptas y vives esa Verdad, no caerás en el error; si penetras en esa Vida, te alejarás de la muerte.

Él dijo también que es la Luz del mundo; no te alejes de Él y caminarás seguro, bañado por su luz.

"*Yo soy la luz del mundo; el que me sigue no andará en tinieblas, sino que tendrá la luz de la Vida*" (Jn 8, 12). "*Obseven una buena conducta en medio de los paganos, y así, los mismos que los calumnian como a malhechores, al ver sus buenas obras tendrán que glorificar a Dios el día de la Visita*" (1Pe 2,12).

El hombre no puede vivir sin fe; tiene que creer en algo y en alguien; de otro modo, se ahoga en sí mismo.

Pero, antes que nada, debe creer en Dios; te ofrezco la sabida oración de la fe:

"Creo, aunque todo te oculte a mi fe. Creo, aunque todo me grite que no. Porque he basado mi fe en un Dios inmutable, en un Dios que no cambia, en un Dios que es amor.

Creo, aunque todo parezca morir. Creo, aunque ya no quisiera vivir, porque he fundado mi vida en palabras sinceras, en palabras de amigo, en palabra de Dios.

Creo, aunque todo subleve mi ser. Creo, aunque sienta muy solo el dolor. Porque un cristiano que tiene al Señor por Amigo, no vacila en la duda, se mantiene en la fe.

Creo, aunque veo a los hombres matar. Creo, aunque veo a los niños llorar. Porque aprendí con certeza que Él sale al encuentro, en las horas más duras, con su amor y su luz.

Creo, pero aumenta mi fe".

"*Para dar esta respuesta de la fe es necesaria la gracia de Dios, que se adelanta y nos ayuda, junto con el auxilio del Espíritu; que mueve el corazón, lo dirige a Dios, abre los ojos del espíritu y concede a todos gusto en creer y aceptar la verdad*" (DV 5).

Noviembre 14

La vida está llena de secretos.

Hoy han nacido unos, y otros se despidieron de la vida; unos cerraron sus ojos, y otros los abrieron a la luz.

Hoy han reído y gozado muchos, mientras otros sufrieron a gritos o en silencio; todo está mezclado en este mundo; penas y glorias, guerras y paz.

Pero no todo pasa; no es todo como el ave, que no deja ni el rastro de sus alas en el aire.

Hay algo que no pasa; son las obras que cada uno de nosotros realiza; sean ellas buenas o malas, quedan en nuestro recuerdo, en lo profundo de la conciencia, en la presencia de Dios.

Y de cada una de esas cosas deberemos dar cuenta al Creador, para nuestra vergüenza o para nuestro consuelo.

Dicen que la mortaja no tiene bolsillos; pero es que las obras no nos siguen en la mortaja sino en nuestra conciencia.

"La fe cristiana enseña que la muerte corporal, que entró en la historia a consecuencia del pecado, será vencida cuando el omnipotente y misericordioso Salvador restituya al hombre en la salvación perdida por el pecado" (GS 18). "No busquen la muerte viviendo extraviadamente; ni se atraigan la ruina con las obras de sus manos; porque no fue Dios quien ha hecho la muerte, ni se complace en la perdición de los vivientes..." (Sab 1,12-13).

Noviembre 15

Cuando el astronauta ruso Yuri Gagarin fue interrogado sobre si había visto a Dios allá en las alturas, respondió: "No lo he visto; Dios no existe".

Algo más tarde subió también a la estratósfera Gordon Cooper y, cuando le hicieron la misma pregunta, replicó: "Para ver a Dios no necesito subir a las alturas: lo llevo dentro de mí mismo".

¡Cuántos pretenden encontrar a Dios lejos de sí, cuando lo tienen tan cerca! Dios sonríe en el juego del niño; Dios gime en el dolor del enfermo; Dios sufre en la miseria del que no tiene pan; Dios muere en el niño desnutrido; Dios huye en el hombre perseguido; Dios alarga la mano en el mendigo; Dios grita en el reclamo de justicia para el pobre obrero explotado.

Dios está en todas partes y en todos; no es preciso ir muy lejos para encontrarlo; basta con que abramos los ojos para poder verlo. ¡Qué triste sería pasar a su lado sin reconocerlo!

"La Biblia nos enseña que el hombre ha sido creado a imagen de Dios, con capacidad para conocer y amar a su Creador y que por Dios ha sido constituido señor de la entera Creación visible, para gobernarla y usarla, glorificando a Dios" (GS 12). Nuestro error está en que pretendemos ver a Dios demasiado lejos de nosotros mismos, o en cosas o acontecimientos raros y lejanos; esforcémonos en verlo en lo que a diario nos sucede.

Noviembre 16

Hoy quiero entonar el salmo del agua cristalina y fugaz.

Quiero ser como el agua, que sirve gozosa a los hijos de Dios. Quiero ser como el agua que calma la sed del sediento, sin fijarse si es hombre de ciencia, de poca cultura, de blanco o de negro color.
Quiero ser como el agua, que es de todos y todos la poseen, la beben, la gustan, la utilizan; a todos refresca, los limpia y fecunda.
Quiero ser como el agua que canta sonora sus silbos brillantes y desliza sus hilos por peñas y arroyos, llevando la vida, el frescor y la alegre canción.

Eso ha de ser mi vida: agua. Agua que limpia los cuerpos y lustra las almas con luz bautismal. Y agua que fecunda y da vida, la vida de gracia que el buen Dios nos da.

"Por el bautismo... el hombre se incorpora realmente a Cristo crucificado y glorioso, y se regenera para el consorcio de la vida divina, según las palabras del Apóstol: «En el bautismo fueron sepultados con Él, y con Él resucitaron, por la fe en el poder de Dios que lo resucitó de entre los muertos» (Col 2,12)" (UR 22).

Noviembre 17

La gratitud es propia de las almas bien naci-
das. Por eso es justo que demos las gracias a Dios
de todo lo que nos está dando a diario con manos
largas y generosas.

El sol que acaricia nuestras mejillas, el agua
que refresca nuestros cuerpos, el calor que vivifi-
ca, el trino del zorzal en la enramada, la espiga
del trigo candeal que se balancea por el céfiro de
la tarde... Todo eso es don y regalo del buen Dios.

Las risas de los niños, el aroma de las flores, el
placer de la amistad, el afecto del hogar, el amor
de los esposos, la bandera de la patria, el consuelo de la fe... todo es don y regalo del buen Dios.

Los minutos que transcurren, los días que se
deslizan, los años que se nos pasan, la salud y las
fuerzas, el trabajo y los descansos... todo eso es
don de Dios.

Motivos más que suficientes para serle agradecidos.

"**V**ivan en acción de gracias. Que la Palabra de
Cristo resida en ustedes con toda su riqueza; instrú-
yanse en la verdadera sabiduría, corrigiéndose los unos a
los otros. Canten a Dios con gratitud y de todo corazón" (Col 3,15-16). Si comenzamos a enumerar los motivos que tenemos para estar agradecidos a Dios, no
terminaríamos más; y eso que solamente somos
concientes de una mínima parte de los beneficios que
recibimos del Señor; de la mayoría de ellos ni siquiera
nos damos cuenta.

Noviembre 18

Insisto en que debemos mirar a Dios no sobre las nubes sino a nuestro lado, en el hermano que sufre, en el que goza, en el niño y el anciano, en el sano y el enfermo.

Lee la canción que te lo recuerda gráficamente:

"Señor, creí verte, pidiendo limosna, cubierto de harapos, ganándote el pan, vivir en las villas, comer malamente, postrado en un lecho de pobre hospital.

Señor, creí verte cobrando facturas, y allá en la oficina ganándote el pan, curar al enfermo, hacer de maestro, barrer plazas y calles de nuestra ciudad.

Señor, creí verte pescando en el río, jugando en la cancha, ganándote el pan; bajar a la mina, subir el andamio, guiar autobuses y luego volar. Señor, ¿eras Tú? Dime la verdad".

"*A Cristo ustedes lo aman sin haberlo visto, y creyendo en Él sin verlo todavía, se alegran con un gozo indecible y lleno de gloria, seguros de alcanzar el término de esa fe, que es la salvación*" (1 Pe 1,8-9). *¡Es tan fácil ver a Dios en los hermanos, gozar de Dios en los hermanos, servir a Dios en los hermanos, salvar a los hermanos para Dios!*

Noviembre 19

Conocida es la oración atribuida a Francisco de Asís; puede servirnos para nuestra reflexión de hoy.

Señor, haz de mí un instrumento de tu paz... ¡Qué trágico sería convertirse en instrumento destructor de la paz!

Donde haya odio, ponga yo amor... Horrible, si donde hay amor, siembro el odio.

Donde haya ofensa, ponga yo perdón... Que después del perdón, no ponga yo nueva ofensa.

Donde haya discordia, ponga yo la unión... Nunca permitas que sea yo el elemento de discordia entre los hermanos.

Donde haya error, ponga yo tu verdad; donde haya duda, ponga mi fe.. y no siembre el escepticismo y la confusión.

Finalmente, donde hay tristeza, siembre las semillas de la alegría y del optimismo, de la confianza en la bondad de Dios.

"Porque si siendo enemigos, fuimos reconciliados con Dios por la muerte de su Hijo, mucho más ahora que estamos reconciliados, seremos salvados por su vida. Y esto no es todo: nosotros nos gloriamos en Dios, por medio de nuestro Señor Jesucristo, por quien desde ahora hemos recibiido la reconciliación" (Rom 5,10-11).

Noviembre 20

Si abrimos la Biblia en su primera página, encontramos aquella afirmación sobre el origen del hombre: "Dios sopló en su nariz un aliento de vida".

Eso es el hombre, nada más que eso, pero nada menos que eso: un aliento de Dios, un algo de Dios, algo vital como es el aliento.

El hombre lleva en sí un poco del calor de Dios, de ese calor que es fecundo y que da vida.

Pero si es calor de Dios, ¿por qué no se convierte en llama que encienda cuanto se halle alrededor suyo? Si es calor de Dios, ¿por qué va esparciendo frío en sus relaciones, frío de resentimientos, frío de hostilidades, frío de egoísmo?

No está llamado a ser témpano sino fuego; donde hay témpanos, hay frío; donde hay frío, no hay vida. En cambio donde hay fuego, hay calor, y donde hay calor surge en el acto la vida.

"Tu les diste tu buen Epíritu para que supieran discernir... Ellos clamaban a ti; tú los escuchabas desde el cielo; y por tu gran misericordia los salvaste... Tu fuiste paciente con ellos durante muchos años; les advertiste con tu Espíritu... por tu inmensa ternura, no los has abandonado, porque eres un Dios compasivo y misericordioso" (Neh 9,20-31).

Si el hombre lleva a Dios consigo, no puede llevarlo tan oculto que no "se le note"; ese Dios íntimo, que penetra hasta lo más recóndito de su ser, debe salir a su exterior.

Y así ese Dios hará que cuando el hombre tome conciencia de las maravillas de su vida, la convierta en una vida de maravillas.

Maravillas de gracia y de amor; maravillas de generosidad y de entrega; maravillas de donación y de ofrenda; maravillas de consagración y de comunión.

Comunión con Dios y con los demás hombres; comunión con la naturaleza y con todo el cosmos. Con ese cosmos exterior que los rodea y con ese cosmos íntimo que vive en su interior.

El hombre, así, se habrá convertido en un ser de profundidad, de dimensiones múltiples; así llegará a ser el constructor de sí mismo y el hacedor de un nuevo mundo, de un nuevo estado de cosas en el que reine el orden y la jerarquización de los valores.

"*Confía en el Señor de todo corazón y no presumas de tu propia inteligencia; reconócelo en todos tus caminos, y Él allanará tus senderos... Porque el Señor reprende a los que ama, como un padre a su hijo querido*" (Prov 3,5-12). *Debes prestar atención a los planes de Dios sobre ti: decubrirlos y cumplirlos; nunca te arrepentirás de ponerte en las manos de Dios.*

Noviembre 22

¡El silencio! Hoy nos cuesta bastante aceptar el silencio; estamos rodeados por todas partes de ruido ensordecedor. Ese ruido puede impedir que nos oigamos a nosotros mismos y que oigamos la voz de Dios que nos habla en nuestro interior.

¡Silencio! Cuesta a veces callar en los momentos difíciles, en las penas amargas y en los goces íntimos, en las calumnias mordaces y en las alabanzas excesivas, en los pareceres hirientes y en los vaivenes de un corazón que se aleja.

Silencios que traen como consecuencia la inmersión en el Dios que portamos en nuestra intimidad.

Si miramos el bosque, lo veremos lleno de vida; pero la flor que abre sus pétalos lo hace en silencio; la violeta que esparce su perfume, la enredadera que trepa a lo alto, la gramilla que alfombra, las ramas que se extienden, el agua que se desliza... todo eso es silencio; y todo eso es vida y da la vida.

"**M**ás vale escuchar el reproche de un sabio que oír el canto de los necios; porque como el crepitar de las espinas bajo la olla, así es la risa de los necios, y también esto es vanidad" (Ecl 7,5-6). Muchas veces será preferible el silencio a tu alrededor, que no vanas palabras; si las palabras son plata, el silencio es oro; en ese caso, el silencio muy fácilmente será cielo.

Noviembre 23

Cuando el terreno ya se halla preparado, se esparce la semilla, se entierra y se la deja pudrir en el seno de la madre tierra.

Alguno podría preguntar: ¿por qué no aprovechar ese grano, en lugar de hacerlo pudrir en la tierra?

Pero es que solamente así, pudriéndose, podrá germinar, fecundarse, multiplicarse, convertirse en nueva y mejor vida: la vida de la espiga, la plenitud de nuevos granos.

El dolor, lejos de destrozar al hombre, de destruirlo, puede purificarlo y disponerlo para una transformación. Lo que el hombre es y vale no se deprecia con el dolor; más bien se aquilata.

Precisamente los santos, esos crucifijos de carne, vieron a Dios y vivieron a Dios cuando sus ojos quedaron purificados por las lágrimas. Es que el dolor nos hace desprender de las escorias y purifica el oro de nuestro corazón.

La cruz no deforma, transforma; no oscurece, ilumina; no hace estoicos, talla santos. A condición de que se le dé su sentido redentor.

"*La Iglesia rinde culto a los santos y venera sus imágenes y sus reliquias auténticas. Las fiestas de los santos proclaman las maravillas de Cristo en sus servidores y proponen ejemplos oportunos a la imitación de los fieles*" (SC 11). *Los santos se han hecho santos y no nacieron tales; tú no has nacido santo: puedes llegar a serlo.*

Noviembre 24

Sin lugar a dudas todos deseamos ser mejores de lo que somos; incluso habremos hecho algunos esfuerzos por serlo.

Pero esos esfuerzos no han sido suficientes y por eso no lo hemos logrado. No debemos desalentarnos; jamás podremos colocar la segunda piedra si no ponemos la primera; no podremos escalar el segundo peldaño si antes no pisamos el primero; no llegaremos a la cima si no empezamos a trepar por la ladera.

El esfuerzo de hoy posibilitará el ascenso de mañana; no se nos exige el ascenso de mañana, pero sí el esfuerzo de hoy. El esfuerzo de mañana, hoy no es posible; pero el paso de hoy, sí; y, en consecuencia, estamos obligados a hacerlo.

No nos quejemos mañana si hoy fundamentamos su fracaso.

Si hoy no morimos a nosotros mismos, no nos quejemos de que mañana no tengamos "nueva" vida; ¿seguiremos con la misma vida de ayer, la vida vieja y caduca o la nueva de la gracia de Dios?

"En la vida de aquellos hombres que, siendo hombres como nosotros, se transforman con mayor perfección en imagen de Cristo, Dios manifiesta al vivo ante los hombres su presencia y su rostro. En ellos Él mismo nos habla y nos ofrece un signo de su reino" (LG 50).

¿Qué importa que el ave está atada por una cadena o por un hilo, si al fin está atada y no puede volar por los espacios?

Piensa que tú puedes sentirte atado. No te tranquilices si ves que tu atadura es solamente un hilo; preocúpate por el hecho de sentirte atado, de no sentirte libre.

Tus defectos no serán muy graves, muy serios, muy escandalosos para los demás, pero son defectos, y por ello te impiden volar a la altura de la perfección.

Son defectos y, por lo tanto, no hacen que seas malo, pero impiden que seas mejor; y, si es muy bueno no ser malo, es muy malo no ser mejor.

No sabe cuánto bien hace el que no hace el mal; pero tampoco sabe cuánto mal hace el que no hace el bien.

Rompe todas tus cadenas, pero desata también –o corta– todos tus hilos; siéntete libre y lánzate a las alturas, hacia Dios.

"Con el temor del Señor, nada falta, y ya no es necesario buscar otra ayuda. El temor del Señor es como un paraíso exhuberante y protege más que cualquier gloria" (Eclo 40,26-27). *El temor de Dios es el que te moverá a perfeccionarte cada día más.*

Noviembre 26

¿No has sacado nunca la cuenta de los minutos que has vivido? Es curioso; sácala y constatarás que son millones de ellos.

¿Y no has pensado nunca que de todos esos millones de minutos has de dar cuenta al Creador, que te dio la vida para que la hicieras fructificar?

Cada uno de esos minutos han sido ya valorados y juzgados por Dios según el peso de amor que en ellos hayas puesto, la rectitud de intención que hayas tenido.

Tremendo problema tuyo si esos minutos se te han deslizado sin que en ellos pusieras la marca y distintivo del amor. Para la eternidad solamente te valdrán los minutos que lleven la marca de Dios; los demás se habrán hundido en el vacío, y en un vacío no es posible fundamentar ningún porvenir.

Las matemáticas no sirven cuando se trata de la intensidad que debemos poner en todos nuestros actos: intensidad de amor; pero sí son útiles cuando es cuestión de numerar los actos que hemos de hacer productivos en nuestra vida.

"Breve y triste es nuestra vida, no hay remedio cuando el hombre llega a su fin... Nuestro nombre será olvidado con el tiempo y nadie se acordará de nuestras obras; nuestra vida habrá pasado como una nube sin dejar rastro, se disipará como la bruma, evaporada por los rayos del sol y agobiada por su calor" (Sab 2,1-4).

En el tiempo de la poda, pareciera como si el árbol derramara lágrimas; el insensible podador corta las ramas sin compasión, despoja el árbol de sus brazos y ralea su ramaje sin piedad.

Por cada una de las heridas el árbol destila la sangre de su queja o de su protesta; es como si el alma del árbol levantara el grito contra semejante atropello.

Sin embargo, ello sirvió para que esa alma se contrajera, se replegara durante largos días de invierno y así no fuera alcanzada allá en la interioridad de su savia por el frío que mata.

Luego vino la primavera y los brotes anunciaron que el árbol no sólo no estaba muerto, sino que había recuperado nueva vida, nueva pujanza, nueva fecundidad en flores y frutos.

En tu vida el dolor desempeña el papel de podador; tú podrás tal vez quejarte con pesimismo; pero si tienes fe, si unes tu dolor al dolor redentor de Cristo, te podrá servir de nueva fuerza en tu vida.

*E*l invierno no es muerte; es reconcentración de vida *que luego eclosiona en la primavera con las flores y en el verano con los frutos. Las flores y los frutos de tu vida espiritual deben salir y manifestarse; de lo contrario, pese a tu actividad, se podrá decir que estás en verdad muerto, como cantó el poeta: "No son los muertos los que en dulce calma la paz reposan de la tumba fría; muertos son los que tienen muerta el alma, y viven todavía".*

Noviembre 28

No te equivoques: para llegar a ser perfecto, no es preciso hacer cosas llamativas o que estés esperando que te ocurran sucesos de excepción.

Todos los días se te presentan cien y mil ocasiones en las que puedes y debes ser perfecto o al menos esforzarte por serlo.

Toda esa gama de pequeños sucesos están ocultando a Dios, y tú debes tratar de descubrirlo: no sólo en la despedida hacia la tumba de un ser querido sino en la molestia que te ocasiona un apagón de luz en una hora de intenso trabajo.

En la calumnia que muerde tu reputación y en la pérdida del lápiz que echas de menos en el momento de mayor urgencia.

En la orden recibida de tu superior y en el estridente chirriar de la silla que arrastra un niño.

En la visita del amigo que llega cuando menos podrías desearlo, y en el bocinazo del coche que pasa frente a tu puerta.

Educa tu pupila para que sea capaz de ver a Dios en todo; créeme que lo vivirás todo en otra dimensión.

"*Su vida está desde ahora oculta con Cristo en Dios*"(Col 3,3). *Cristo es el que da la savia a nuestra vida; sin esa savia nuestra vida está muerta y esta situación paradojal, de una vida-muerta, es tristemente real; ¡cuántas veces se cumple lo del poeta: "Los muertos que caminan"!*

No pocas veces has tratado de disimularte a ti mismo tus procederes, que advertiste incorrectos, con aquella afirmación: "Yo soy así", y te quedaste tranquilo en tu modo de ser.

Pero ese tu modo de proceder quizá no sea el que debiera ser: por eso permite Dios que te sucedan ciertas cosas que lleguen a corregirte.

Cada una de esas cosas que te desagradan y te contradicen será como una nota quemante que levante ampollas en tu soberbia, o una chispa que te queme las carnes, o una espina que te pinche y te duela.

No desaproveches todo eso; al contrario, utilízalo para tu purificación, para que no sigas siendo así como eres, sino que vayas cambiando hasta llegar a ser como debes ser, como Dios quiere que seas, como los demás esperan que seas.

Está bien que reconozcas cómo eres; pero no está bien que te quedes tranquilo en ser como eres. Has de aspirar a más, mucho más.

"**S**i caminamos en la luz, como Él mismo está en la luz, estamos en comunión unos con otros, y la sangre de su Hijo Jesús nos purifica de todo pecado" (1 Jn 1,7). Es la Sangre del Señor la que deberá purificarte de todas tus imperfecciones; es la comunión recibida con amor la que habrá de penetrar en ti, para transformarte en otro Cristo; atiende no sólo al número, sino sobre todo a la intensidad de tus comuniones.

Noviembre 30

Si eres padre o madre de familia, estoy seguro de que estás dispuesto a morir por tus propios hijos: prefieres sufrir tú y que no sufran ellos, morir tú y que ellos vivan. ¿Verdad que no me equivoco? Pues bien, solamente quiero decirte hoy que es mucho más fácil morir en un acto de heroísmo, por salvar un hijo, que ir muriendo lentamente, día a día, minuto tras minuto, por ir formando a ese hijo, o por irte formando a ti mismo.

Ir dejando jirones de la vida en las noches largas sin sueño, en las horas de trabajo agotador, en las tardes solitarias atendiendo las diarias obligaciones... eso no será llamativo, pero es más meritorio.

No derramar la sangre en tres minutos, sino ir dejando gota tras gota en cada acción que cumplimos, en cada victoria sobre nosotros mismos, en cada vencimiento de nuestro carácter o de nuestro temperamento, en la palabra que callamos o en la sonrisa que ofrecemos... eso es morir día a día, eso es ser héroe... desconocido, pero héroe.

"*El que oye la Palabra y no la practica, se parece a un hombre que se mira en el espejo, enseguida se va y se olvida de cómo es*" (Sant 1,23-24). *No basta leer la Palabra del Señor; es preciso que la medites, pues solamente así la tendrás siempre presente y podrá influir en tu vida; solamente así harás, de la Palabra, Vida.*

DICIEMBRE

Una voz grita
en el desierto:
¡Preparen el camino
del Señor!

Lucas 3,4

Diciembre 1

"Mi corazón y mi lengua han hecho un trato: que mientras mi corazón esté enfurecido, mi lengua guardará silencio".

Este programa de vida está lleno de psicología.

Las palabras responden a los sentimientos, y los sentimientos a las ideas; de ahí que nos resultará imposible dominar nuestras palabras si no somos dueños de nuestros sentimientos; y estos sentimientos se irán moderando según la fuerza de nuestras ideas.

A un corazón que no se domina, responderán palabras violentas e hirientes; a un corazón lleno de sí mismo, sucederán palabras y actitudes despectivas para los demás.

Calla, pues, mientras tu corazón no esté sereno y en calma; no hables, pues seguramente deberás arrepentirte de lo que digas o, al menos, del modo como lo digas, o del momento en que lo digas.

Si en general el corazón no suele ser buen consejero, menos lo será cuando no se halle en paz y no se sienta dueño de sí mismo.

"Me alegré mucho cuando llegaron algunos hermanos y dieron testimonio de tu adhesión a la verdad, porque efectivamente vives de acuerdo con ella" (3 Jn 1). ¿Podría decirse con justicia, como lo afirma Juan de su discípulo, que vives según la verdad? Pero ten presente que esa verdad a la que se refiere el apóstol no es tanto la verdad conceptual cuanto la verdad que se vive".

Diciembre 2

La línea recta... seguir la recta.

Vivir en la línea recta no resultará fácil, pero es un deber.

No resultará fácil: vivir sin declinar a la derecha o a la izquierda; sin hacer caso de los comentarios que lleguen a nuestros oídos, sean favorables, sean adversos; sin dejarse llevar por los ejemplos que otros nos presenten; sin dejarse absorber por la fuerza de los ambientes; sin fijarse en demasía en lo que hacen otras personas; esto será vivir en la línea recta y no declinar ni a derecha ni a izquierda.

Oportunidades, conveniencias, utilidades, ascensos y cien y mil cosas más suelen confabularse para que no vivamos en la línea de la rectitud.

Y solemos ser nosotros mismos los que más nos esforzamos por explicarnos a nosotros y a los demás que los caminos torcidos que seguimos son en realidad rectos.

Pero hay dos a quienes nunca podremos engañar: nuestra propia conciencia y Dios. Son ellos los que trazan la línea recta de nuestra vida.

"*H*ijos míos, no amemos solamente con la lengua y de palabra, sino con obras y de verdad. En esto conoceremos que somos de la verdad y estaremos tranquilos delante de Dios*" (1 Jn 3,18-19). No bastan palabras, se precisan obras; cuando por la noche te examines, no lo hagas sólo respondiendo a esta pregunta: "¿He dicho algo bueno?" sino sobre todo a otra: "¿He hecho algo bueno?"*

Tus ojos tienen una potencia irresistible, pero esa potencia puedes emplearla para el bien o para el mal.

Ofrece siempre, todos los días, unos ojos puros y dulces, como cielo sin nubes. Que los que viven contigo, al mirar tus ojos puedan decir: "Hoy, cielo sin nubes".

Que mires con tanta serenidad que todos se sientan cómodos a tu lado y lo sientan todos cuantos se acerquen a ti.

Lo mismo que cuando sale el sol es imposible decir si alumbra más a un hombre que a otro, así ilumina con tus ojos, mira con igual bondad a unos que a otros.

Al que te trata con suma delicadeza y bondad, y al que con mano dura o expresión torva deshace tu corazón. El sol ilumina las verdes praderas como las oscuras hondonadas.

Dios hace salir el sol sobre justos y pecadores; en tu rostro, en tus ojos, ha de descubrirse siempre la misma luz de bondad para unos que para otros.

"Mis ojos están puestos sobre todos tus caminos; ellos no se me ocultan, y tus culpas no pueden esconderse" (Jer 16,17). "Por más que oigan, no comprenderán, por más que vean, no conocerán,Porque el corazón de este pueblo se ha endurecido, tienen tapados sus oídos y han cerrado sus ojos, para que sus ojos no vean, y sus oídos no oigan, y su corazón no comprenda, y no se conviertan, y yo no los cure" (Mt 13,14-15).

Diciembre 4

El rostro más bello no suele ser el mejor conformado, el más estético o proporcionado, si no el que se halla más frecuentemente iluminado por una sonrisa sincera.

Una sonrisa es capaz de cambiar cien planes, de dar aliento a un corazón postrado, de transformar la dureza en condescendencia.

Una sonrisa hace que la frente se irradie, los rasgos del rostro se hermoseen al dilatarse.

El atractivo del rostro no es, pues, la belleza sino la bondad expresada en él, el gesto de comprensión y ternura, que irradia serenidad a su alrededor.

Pasa por este mundo desparramando sonrisas de comprensión en lugar de ceños de rechazo; alegrías de campanitas de plata que repiquetean en tu interior y no cencerros de monotonía, que arrastran rebaños polvorientos.

Ofrece siempre y a todos el arco iris de tus colores de gracia y de la gracia de tus colores, y no la oscuridad de las nubes preñadas de tormenta.

"*Por la gracia de Dios soy lo que soy, y su gracia no ha sido estéril en mí*" (1 Cor 15,10). *Tú también puedes afirmar, con el apóstol, que eres lo que eres por la gracia de Dios; a Él se lo debes todo y sin Él nada hubieras podido conseguir. Pero has de procurar imitar también al apóstol en la segunda afirmación que hace de sí: la gracia de Dios no puede ser estéril en tu vida; has de hacerla fructificar: gracia conciente y gracia creciente.*

Diciembre 5

No hace mucho oí decir que una persona se tenía como un florero que adornaba algo en la vida, pero que un día ese florero se rompió o, mejor, que ella se sintió desde entonces como un florero roto.

Y yo pensé: "¡Qué triste debe ser considerarse a sí mismo algo así como un florero roto que ya no sirve para nada!"

De todos modos, creo que los que rompemos nuestros floreros somos nosotros mismos; cuando pones esa cara tristona frente a los sucesos de la vida, te estás rompiendo; cuando no tienes sino palabras de desaliento o de crítica, te estás rompiendo; cuando no se cae de tus labios esa fea palabra "¡no!", te estás rompiendo; cuando piensas que ya no sirves para nada ni para nadie, te estás resquebrajando; cuando pierdes los entusiasmos para la acción o te dejas arrastrar por el desaliento, ya estás roto.

¡Y qué triste, te repito, debe ser sentirse roto y presentarse ante los demás resquebrajado! ¡Qué triste no servir ya para sostener la rosa que alegra, sino para mostrar solamente la rajadura mortal!

"*E*chen afuera, a las tinieblas, a este servidor inútil; allí habrá llanto y rechinar de dientes*" (Mt 25,30). *Nada más triste que una vida inútil; nada que deje en el fondo del alma una sensación de tanto desagrado como sentirse inútil; pero tú puedes ser muy útil para Dios y para tus prójimos; son muchos los que algo esperan de ti; es mucho lo que Dios espera de ti.*

Diciembre 6

Dios no puede ser más bondadoso con el hombre: le otorga tantos beneficios, le concede tantas gracias; realmente, Dios ya no puede hacer más por el hombre.

En cambio, el hombre ¡qué desagradecido suele ser con Dios! No solamente no le agradece lo que recibe de Él, sino que incluso emplea los mismos dones de Dios para rebelarse contra El.

Dios no pudo hacer más; el hombre no pudo hacer menos.

Dios no pudo dar más; el hombre no pudo responder menos.

Dios no pudo ofrecer más; el hombre no pudo rebajarse menos.

Pero Dios está empeñado en sacar luz de las tinieblas, vida de la muerte, generosidad de la negociación; ojalá ahora Dios salga con la suya, y nosotros no salgamos con la nuestra.

.

"*E*l que siembra mezquinamente, tendrá una cosecha muy pobre; en cambio, el que siembra con generosidad, cosechará abundantemente. Que cada uno dé conforme a lo que ha resuelto en su corazón, no de mala gana o por la fuerza, porque Dios ama al que da con alegría*" (2 Cor 9,6-7). La medida de tu generosidad la tiene que dar tu corazón, tu amor a Dios; es regla de proporción directa; a mayor amor, mayor generosidad.*

Hay quienes dudan de la existencia de Dios, o simplemente la niegan; nosotros quizá nos esforzamos por convencerlos de que Dios existe; quizá no lo logramos.

¿Por qué no lo logramos? ¿Porque Dios no existe o porque nosotros no sabemos demostrar su existencia?

Al mundo hay que decirle que Dios existe, no tanto con argumentos, cuanto con obras; hay que presentar un Dios vivo y vivificante; al fin y al cabo, como Él es.

En todo cuanto toquemos, pongamos la marca de Dios; en todo lo que digamos, transparentemos a Dios; en todo cuanto hagamos, vivamos nosotros a Dios... y pronto los demás verán esas marcas de Dios, oirán esos sonidos de Dios, sentirán esa presencia de Dios.

Y sobrarán los argumentos; como el niño no necesita argumentos para amar a su madre, el hombre no debe necesitarlos para creer en Dios ni para amarlo.

"¿*C*ómo invocarlo sin creer en Él? ¿Y cómo creer, sin haber oído hablar de Él? ¿Y cómo oir hablar de Él, si nadie lo predica? ¿Y quiénes predicarán, si no se los envía?" (Rom 10,14-15). Eres tú el que estás enviado por Dios para dar a conocer su existencia y su bondad a todos cuantos lo ignoran; si tú le fallas, ¿cómo van ellos a llegar al conocimiento del verdadero Dios?*

Diciembre 8

En toda la cristiandad se celebra hoy el día de María Inmaculada. Son millones los cristianos que tomaron su primera comunión en un día como éste.

María es la Madre de los cristianos.

Madre quiere decir *ternura plena*; cuando el padre castiga, la madre se esconde; cuando el padre se ausenta, la madre queda al frente del hogar; cuando el hermano hiere, la madre cura; cuando el hijo llora, la madre besa; y cuando el hijo se aparta del buen camino, la madre llora; la falda de la madre siempre está dispuesta para recibir la cabeza arrepentida del hijo.

Todo eso es la Virgen María para el cristiano:

Brazos maternales, abiertos como las playas del mar. Madre Inmaculada, poema de luz y de ternura. La que no conoció menguantes como la luna ni ocasos como el sol.

San Bernardo sintetizó cuanto se puede decir de María: "Dios pudo hacer un mundo mejor y un cielo más grande, pero no una Madre de mayor grandeza que María."

"*Al entrar en la casa, encontraron al niño con María, su madre, y postrándose, le rindieron homenaje*" (Mt 10,11). *Los Magos encontraron a Cristo con María, y todos los cristianos encontrarán a Cristo por medio de María. Tú la invocas como Madre de la divina gracia; si quieres vivir la gracia del Señor, vívela de las manos de María; no olvides que peregrinar es caminar por Cristo al Padre, a impulso del Espíritu Santo y con la ayuda de María.*

Diciembre 9

La perfección de las cosas no está en hacerlas, sino en hacerlas bien; y para hacerlas bien es preciso fijarse en los detalles. Los detalles de la vida, que son múltiples y minúsculos, pero que son los que hacen que la vida sea agradable y recta.

Cerrar bien la puerta de un armario, sin estruendos ni violencias; dejar en orden y en su debido lugar las prendas de vestir; ser puntual en acudir a su debido tiempo a una reunión, sin hacer esperar a los demás; no fumar cuando el humo del cigarrillo molesta el vecino, teniendo con él esa mínima atención; ser responsable en todas las pequeñas cosas que se nos han encomendado.

Detalles... detalles... pero detalles que van configurando las cosas, las van perfeccionando, las van elevando.

Fijarse en esos detalles no es vulgaridad, sino delicada perfección, ansia de mejoramiento.

"**N**osotros llamamos felices a los que sufrieron con paciencia. Ustedes oyeron hablar de la paciencia de Job, y saben lo que hizo el Señor con él; porque el Señor es compasivo y misericordioso" (Sant 5,11). Se necesitará no poca paciencia para ser fiel en los detalles, pero ahí se manifiesta la verdadera perfección.

Diciembre 10

"No juzguen y no serán juzgados"; esta afirmación que leemos en el Evangelio es de suma importancia para nuestra vida de relación con los que nos rodean.

Debemos respetar con amor todas las vidas que se cruzan por nuestro camino; ellas también tienen derecho a ser "ellas" y no tienen por qué aspirar a ser "nosotros"; así como nosotros deberemos mantenernos "nosotros", sin ansiar llegar a ser "ellos".

Esa ancianita que a diario entra en un templo, molestando a todos con su inoportuna tos de pecho cansado, puede ser toda una maravilla de gracia en su interior.

Esa pobre mujer que te atiende detrás del mostrador, debajo de sus toscas maneras y tras sus manos agrietadas puede esconder una nobleza desconocida para muchos otros que presentan exteriores más atractivos.

Si no se conoce el interior de las personas, no se las puede juzgar; nadie tiene derecho a penetrar la intimidad personal de nadie; esa intimidad es un templo, reservado solamente a Dios.

"*No juzguen, y no serán juzgados*" (Mt 7,1). *Sólo Dios es el que puede juzgar, pues solamente El es el que tiene todos los elementos de juicio; a nosotros se nos escapan muchos de esos elementos; ahora bien, juzgar sin tener conocimiento cumplido del pro y del contra, es terrible imprudencia que cometemos.*

Diciembre 11

Uno de los escapismos más comunes es el pensar que en otras circunstancias nosotros seríamos perfectos hombres, cabales cristianos.

En otras circunstancias, pero no en las que debemos afrontar. Porque con estas personas que me rodean, con este jefe que me controla, con esta esposa que me cela, con este amigo que no me deja en paz, con este trabajo que me absorbe, con este temperamento tan rápido y sensible, con este... con esta...

Y no es verdad; porque, en las distintas sendas o veredas, variará el color de la piedra en que tropiezo, pero no su dureza o su tamaño.

Qué triste sería decir: "¡Cómo deseo padecer el martirio del amor!", y luego ser incapaces de soportar en silencio las inclemencias del tiempo o un simple roce de molestia o cualquier contrariedad.

Si ahora, en este lugar, en estas circunstancias, con estas personas, no soy capaz de perfeccionarme, tampoco lo seré luego.

"*Que el Señor los haga crecer cada vez mas en el amor mutuo y hacia todos los demás, semejante al que nosotros tenemos con ustedes. Que Él fortalezca sus corazones en la santidad y los haga irreprochables delante de Dios, nuestro Padre*" (1 Tes 3,12-13). *Trata de ser irreprochable ante Dios y ante los hombres.*

Diciembre 12

Sabemos que toda la ley consiste en amar de veras a Dios y a los hombres; lo demás son medios para conseguir este amor.

No hay cosa tan difícil de hacer y no hay cosa que tan fácilmente estemos persuadidos de cumplir.

Si se nos pregunta si amamos a Dios, responderemos: "indudablemente". Si se nos interroga si amamos a los prójimos, igualmente sin hesitaciones diremos: "¡ciertamente!".

Sin embargo, debemos recordar que el amor no consiste en decir "te amo" sino en "hacer obras de amor". El amor no será jamás un sentimiento, sino un gesto concreto.

En consecuencia, para saber si amo a Dios y si amo a los hombres, he de preguntarme si "hago" algo por Dios y por los hombres. Solamente esa concreción del amor es la que me podrá persuadir de un modo cierto de que mi amor es auténtico y no falso.

"*Si antes entregaron sus miembros, haciéndolos esclavos de la impureza y del desorden hasta llegar a sus excesos, póngalos ahora al servicio de la justicia para alcanzar la santidad*" (Rom 6,19). *Santo no es tanto el que no peca cuanto el que ama, a no ser que no peque precisamente porque ama.*

Diciembre 13

Muchas páginas se han escrito para describir la psicología masculina y la femenina, y el tema no se ha agotado.

Se ha dicho que el hombre es el cerebro, que la mujer es el corazón. Que el hombre es un código que corrige y la mujer un Evangelio que perfecciona.

Se sostiene que el hombre es capaz de todos los heroísmos y la mujer lo es de todos los martirios.

Que el hombre es fuerza, empuje y acción, y la mujer es calor, motor y contemplación.

Pero el santo, el hombre santo, es a la vez hombre y mujer; en sí reúne todo lo bueno del hombre y todo lo bueno de la mujer.

El santo es capaz de todo, porque se sitúa en Dios, y Dios le da la fuerza necesaria para todos los heroísmos, todos los martirios, todas las acciones apostólicas, todas las contemplaciones de amor.

S an Pedro inicia su segunda carta dirigiéndola "a todos los que por la justicia de nuestro Dios y Salvador Jesucristo, han recibido una fe tan preciosa como la nuestra" (2 Pe 1,1). Es decir que todos, hombres y mujeres, cada uno con su modo de ser, con sus características psicológicas, temperamentales o caracterológicas, todos estamos llamados a la santidad, aunque cada uno de nosotros vayamos por nuestro propio camino.

Diciembre 14

Después de la muerte del califa Abderramán III se encontró un escrito de su puño y letra que decía así: "He gobernado durante largos años; he probado cuantos placeres pueda apetecer un mortal; he sido alabado y admirado hasta el tope máximo que pueda serlo un hombre. Durante todo este largo tiempo, sólo catorce días he gozado de verdadera felicidad".

Los que lean esta página podrán pensar que hay exageración; sin embargo, podemos creer a su autor.

La felicidad no se halla en la gloria, en los placeres, en el dinero, en la fama; no se halla fuera de nosotros mismos; está dentro, muy dentro de nosotros; y, por lo tanto, nosotros y solamente nosotros somos los que podremos darnos la felicidad.

No la busquemos fuera de nosotros, pues no la encontraremos; no se la pidamos a nadie, pues nadie nos la puede dar. Pero si no la gozamos, no le echemos la culpa a nada ni a nadie.

Todos buscamos la felicidad, y no todos hallan la felicidad, y es que muchos la buscan donde no es-tá; la felicidad comienza con "fe" y si la buscamos en otro lugar nos condenamos al fracaso. "Mientras toda imaginación fracasa ante la muerte, la Iglesia, aleccionada por la Revelación divina, afirma que el hombre ha sido creado por Dios para un destino feliz, situado más allá de las fronteras de la miseria terrestre" (GS 18).

Diciembre 15

En el Evangelio se lee aquella afirmación de Jesús: "Por sus frutos los conocerán".

Nosotros hablamos mucho y hacemos poco; los frutos no son las palabras bonitas que decimos sino las pocas y disminuidas obras que realizamos.

Cumplir con el deber, aun cuando nadie vigile ni lo conozca; saber guardar fidelidad al amigo que nos ha confiado un secreto, sin hacer alardes de ello; no doblegarse ante el qué dirán; nunca jugar a dos caras con nadie; disimular las descortesías de los allegados; ahorrar a los demás trabajo y disgustos.

Todo esto y cosas semejantes son frutos, frutos maduros y legítimos que nos acreditan ante la conciencia y ante Dios.

No acortar el tiempo cuando hay que emplearlo para los demás; no mortificar a nadie, ser complacientes con todos, aun a costa de nuestro descanso... esos son frutos, y frutos sazonados.

"*El fruto de los trabajos honestos es glorioso; e imperecedera la raíz de la sabiduría*" (Sab 3,15). "*El fruto de la luz es la bondad, la justicia y la verdad*" (Ef 5,9). *Los frutos del Espíritu de Dios siempre son la bondad y el amor; cuando en algún acto tuyo no halles ni bondad ni amor, ten por seguro que no ha sido movido por el Espíritu de Dios.*

Diciembre 16

No escatimar esfuerzos, no eludir las ocasiones que implican renuncias; ése es el verdadero camino para llegar a la perfección de la santidad.

Silenciar ese detalle que pudiera darnos renombre; no acusar esa palabra que llegó de hecho a nuestra intimidad; cerrar la puerta sin dar un portazo cuando estamos nerviosos; levantar un mueble en lugar de arrastrarlo; ofrecer una sonrisa al que nos resulta pesado; no perder la paciencia ante las insistentes preguntas tontas del nene; corregir con bondad y no con gritos al hijo adolescente; saber "perder el tiempo" permitiendo que alguien se desahogue con nosotros...

Todo eso nos sale al paso cada día; ni es preciso molestarse en irlo a buscar. Eso irá puliendo las aristas de nuestro egoísmo, de nuestro amor propio, de la cerrazón de nuestro criterio, en una palabra, de nuestro propio yo.

"*L levo en mi cuerpo las cicatrices de Jesús*" (Gal 6,17). *Cicatrices de los malos tratos sufridos por el Señor. Si tú debes sufrir en tu fortuna, en tu tranquilidad, en tu fama, en tu trabajo, etc... y todo esto lo tienes que sufrir por Cristo, por ser fiel a Cristo, también podrás afirmar con el apóstol que llevas las señales del Señor; queda tranquilo, que también gozarás de las alegrías del Señor, de la victoria del Señor.*

En la Biblia encontramos este consejo de vida práctica: "Aléjate del mal y haz el bien".

¡Y es tan fácil hacer el bien! No es preciso soñar con cosas muy llamativas, que en pocas ocasiones se nos pueden presentar.

Dejar margen para que los demás hablen de sus cosas, guardando silencio de las nuestras; no perder la paciencia en instantes de prisa y aceleramiento; saberse apagar uno, para que los demás ofrezcan su luz; plegarse al gusto de los demás, renunciando al nuestro; ser amable con la visita que nos estropea el plan que teníamos para esa tarde; todo esto y muchas cosas así nos salen al paso a diario.

Seguir con atención el ritmo de una conversación pesada que no nos interesa; hacer con esmero un trabajo cuya responsabilidad recae sobre todos y sobre nadie; sorber una lágrima sin que los demás se den cuenta; estar siempre dispuesto a decir que sí...

Esto es "hacer el bien" que nos recomienda la Biblia.

"**N**o imites lo malo, sino lo bueno. El que hace el bien pertenece a Dios; pero el que hace el mal no ha visto a Dios" (3 Jn 11). En ti, no todo es bueno; y eso que tienes buena voluntad; ¿por qué debes extrañarte de que en tu prójimo también descubras algunas cosas no tan buenas, y eso que también ellos poseen magnífica voluntad?

Diciembre 18

Alguien escribió que si los hombres nos acostumbrásemos a sonreír con más frecuencia, y a ser más sencillos, la humanidad se sentiría mejor y más feliz.

Y es que la sonrisa es una característica propia del hombre; solamente el hombre es capaz de sonreír. Por eso otro afirmó, quizá con poca delicadeza, pero con indudable veracidad, que cuanto más el hombre sonría, es más hombre; por el contrario, cuanto menos sonría, es más animal que hombre.

Sonreír siempre y sonreír a todos; porque todos esperan nuestra sonrisa y todos necesitan de ella; nosotros somos los primeros en necesitar nuestra propia sonrisa, para sentirnos mejores, más optimistas, más tiernos de corazón.

Sonreír al niño travieso y molesto, sonreír al anciano solitario y pesado, sonreír al amigo importuno, sonreír al vecino cargoso, sonreír al cartero, al verdulero, al diariero... sonreír a todos, para hacerlos a todos mejores y ser mejores.

"*Alégrense y regocíjense entonces, porque ustedes tendrán una gran recompensa en el cielo*" (Mt 5,12). *Cuando pensamos que somos hijos de Dios, el corazón se nos llena de profunda alegría y nada hay en el mundo que pueda separarnos de la caridad de Cristo, como dice de sí mismo el apóstol Pablo* (Rom 8,35).

Ya hace días que todos estamos pensando en la próxima Navidad; estamos pensando en ella y la estamos esperando; como espera el niño el día de fiesta o el paseo; con la ilusión de la novia que sueña en el momento de la consagración de su amor ante el altar de Dios.

Y es que la fiesta de Navidad es para todos los cristianos todo eso: es una fiesta, un paseo, una entrega de Dios al hombre.

La fiesta de Navidad llena de ilusiones a todos: a niños y a adultos. Todos esperamos a ese Niño que siendo Niño atrae a los adultos, y siendo adulto se rodea de niños.

Siempre lo sentimos nuestro, muy nuestro y muy cerca de nosotros. Todos, sin excepción, en el día de Navidad parecieraque nos sentimos más buenos, porque nos sentimos más niños. Y, al sentirnos más niños, recordamos las palabras que dijo el Niño que nació en Belén: "El reino de los cielos es de aquellos que se hacen como niños: sencillos, humildes, inocentes".

"La Virgen concebirá y dará a luz un hijo a quien pondrán el nombre de Emanuel, que traducido significa: «Dios con nosotros»" (Mt 1,23). Cristo nos viene por María; nosotros vamos a Cristo por María; no sigamos distinto camino del que Él siguió al venir a nosotros, porque no estaremos seguros de llegar hasta Él.

Diciembre 20

Son muchas las cosas que en los días de Navidad los hombres pedirán al cielo; a ese Dios que, sin dejar de ser Dios, se quiso hacer hombre, por amor al hombre, para salvar al hombre.

Pero indudablemente hay algo que está en las plegarias de todos: todos esperamos y pedimos que el Niño de la Navidad nos traiga la paz.

Tú, que eres el Camino, la Verdad y la Vida;
Tú, que todo lo sabes y que lo puedes todo,
que un alma eterna diste a nuestro ingrato lodo
y amasaste el martillo que te crucificó,
no mires las miserias, no mires los pecados.
Recuerda solamente que somos desdichados
y que este barro nuestro la vida te costó.
Escucha nuestro ruego, que se une a la plegaria
de tanta madre triste y esposa solitaria,
de tanto niño pálido, de su contraída faz;
y, abriendo los dos brazos de tu misericordia
sobre este mundo mísero de luto y de discordia,
Señor omnipotente, concédele la paz.

"Y junto con el ángel, apareció una multitud del ejército celestial, que alababa a Dios, diciendo: «¡Gloria a Dios en las alturas, y en la tierra paz a los hombres, amados por Él»" (Lc 2,13-14). *Es Cristo el que vino a traernos la paz, desde el momento en que vino a restablecer la paz entre Dios y nosotros.*

Hace muchos, muchos años,
en un pesebre nació
un Niño pobre, muy pobre:
ese niño es Niño y Dios.

Él hizo todas las cosas, cielos y tierra creó;
de los tesoros del mundo Él es el Dueño y Señor.
El se construyó un palacio de incalculable valor,
superior en hermosura a los del rey Salomón.
y ha nacido en un pesebre, impregnado del olor
de las bestias que lo ocupan: estas bestias eran dos.
Su santa Madre María llora de gozo y dolor
al contemplar a su Hijo dormidito en un cajón.
Su cuerpecito mal cubierto, de frío se estremeció
y en llanto desconsolado rompió su divina voz.
Al oírlo se arrodilla la Madre del Niño Dios
y le ofrece su cariño, su vida, su inmenso amor.
Como la Virgen María, quiero yo darte, Señor,
lo que de Ti he recibido: alma, vida y corazón.

"*Después que los ángeles volvieron al cielo, los pastores se decían unos a otros: «Vayamos a Belén y veamos lo que ha sucedido y que el Señor nos ha anunciado»*" (Lc 2,15). *Sí, Dios se nos ha manifestado, nos ha manifestado su amor y nos pide nuestro amor; no se lo neguemos.*

Diciembre 22

Navidad, la fiesta que reza y que canta,
pueril y vetusta, bullanguera y santa,
pastoril y regia, magna y familiar,
que con ser litúrgica es toda de hogar.

Navidad nos trajo cordiales contentos
y el musgo pintado de los nacimientos.
El mundo, hasta el mundo moderno y complejo,
sonríe con una sonrisa de viejo,
y hay una dulzura cálida que embarga
su gran alma fría, su gran alma amarga,
con el alborozo de la Navidad.

Así es esta fiesta de paz y bondad,
de luz y alegría, de infancia y cariño;
el mundo es un viejo que sonríe a un Niño.

"*María conservaba todas estas cosas y las meditaba en su corazón*" (Lc 2,19). *Debemos tomar ejemplo de **nuestra Madre Santísima**: no se conten-
taba con ver las cosas; las meditaba. No nos contentemos nosotros con ver las cosas de esta Navidad; meditemos en la misericordia del Señor que viene a salvarnos y en la forma en que nosotros debemos colaborar
en esa salvación. Navidad es cualquier día del año en
que un hombre se acerca a otro hombre para llamarlo
hermano y tratarlo como hermano.*

Manos de Virgen aliñan pajas de rubios trigales y sobre el mazo mullido tienden blancor de pañales.

Cuatro mil años pasaron, se aguardó cuarenta siglos, para que este acto humildísimo fuera en el mundo cumplido.

Ya llegó la medianoche, nevada y oscurecida; en resplandor de prodigios está la gruta encendida.

Cuatro mil años pasaron, se aguardó cuarenta siglos a que en este humilde establo naciera este humilde Niño.

Afuera celestes voces dan la nueva a los pastores, mientras los ángeles cantan: «Gloria a Dios... paz a los hombres».

Hay un hondo simbolismo en la humildad del pesebre; trigos que un día serán hostias, linos del altar manteles; el Dios-Niño, que ha de darse por amor y en sacrificio de pan a las almas fieles.

"*Los pastores volvieron glorificando y alabando a Dios por todo lo que habían visto y oído*" (Lc 2,20). *Todo lo que nosotros hemos visto y oído, lo que estamos viendo y oyendo a diario, no es sino pura manifestación del amor infinito de nuestro Dios. Preparamos nuestro corazón para recibirlo el día de Navidad con humildad y gratitud por todo lo que Él ha hecho con nosotros.*

Diciembre 24

Mañana es día de fiesta, día de Natividad.
Por eso la campanita no hace más que repicar.
Campanita de la iglesia, parece el corazón
de mi pueblo, que repica en cada palpitación.
Hace no sé cuántos años en Belén nació el Señor.
Por los cielos, milagroso, un lucero apareció.
En su cunita de paja fueron a darle calor
un buey, un asno y tres reyes, según me contó un pastor.
Y con tan cálido aliento fue creciendo el Niño Dios,
para inundar el mundo de paz, consuelo y amor.
Festejando el nacimiento habrá mañana alegría
en las almas, y en la mesa pavo, castañas y sidra.
Y el corazón de mi pueblo, igual que la campanita, pasará el día de fiesta repica que te repica.

"**M**ientras se encontraban en Belén, le llegó el tiempo de ser madre, y María dio a luz a su hijo primogénito" (Lc 2,6-7). Cristo es el primogénito de María, no porque ella haya tenido otros hijos, sino porque Dios la tenía predestinada para ser la Madre universal de todos los redimidos; al dar a luz a Cristo, podemos considerar que también nos ha dado a luz a nosotros los bautizados; es, pues, en cierto modo hoy el día de nuestro nacimiento con Cristo y en Cristo; por eso es la fiesta de todo el pueblo de Dios.

Cantando van los pastores,
cantando van las muchachas,
cantando van monte abajo por la veredita blanca.
Un lucerito brillante los guía con su fulgor;
con alma, salud y gracia entonan esta canción:
"Podéis, pastorcillos, alegres cantar:
en Belén el Niño ha nacido ya.
Tocad las campanas, a gloria tocad;
en Belén el Niño ha nacido ya.
Al son de alegres campanas,
llegando van los pastores
y al Niño le hacen ofrenda
de sus regalos mejores;
pero hay un pastorcito
que trae el más grande don
y al Niño con alegría
le ofrece su corazón.
Podéis, pastorcitos, alegres cantar;
en Belén el Niño ha nacido ya...»

"**N**o teman, porque les traigo una buena noticia, una gran alegría para todo el pueblo: Hoy, en la ciudad de David, les ha nacido un Salvador, que es el Mesías, el Señor" (Lc 2,11). Así comienza la nueva era: la era de la realización de la promesa hecha a nuestros antepasados; ya nos ha venido el Mesías, el Redentor, el Salvador; ya podemos considerarnos salvados por la infinita misericordia de nuestro Hermano Jesús, que se entregará por todos nosotros.*

Diciembre 26

En la gruta de Belén nació el Salvador del mundo y el desierto moribundo se ha convertido en Edén.

Junto al pesebre florido ángeles van a cantar.

Salió una estrella a alumbrar al Niño recién nacido.

María, te felicito, porque eres de Dios;

para abrazar a los dos, corriendo me precipito;

y así me mezclo al montón de reyes y de pastores que al Niño de sus amores todos le traen un don.

Toma José aquel derrroche,

tierno incienso, oro amarillo,

y el tímido corderillo nacido la misma noche.

Y yo, que a adorarle vengo, a pesar de mi cariño, como no soy más que un niño,

yo soy pobre y nada tengo.

¿Qué le daré yo a Jesús? Oh María, Madre mía, ¿qué regalarle podría al Dios que me dio la luz?

Ya sé cuál será mi don, y aunque es pequeño el regalo, no ha de ser del todo malo: le traigo mi corazón.

"*El Niño iba creciendo y se fortalecía, lleno de sabiduría; y la gracia de Dios estaba con Él*" (Lc 2,40). *Imaginamos que siendo Jesús verdadero Hijo de Dios, en nada podía crecer; pero como además era verdadero hombre, iba adquiriendo experiencias humanas, de suerte que, como se desarroba, su mente también se iba enriqueciendo, "experimentalmente", con los sucesos diarios. ¿Tú vas creciendo, como Él, en sabiduría y gracia?*

Repastaban sus ganados los soñolientos pastores alrededor de los troncos de unos encendidos
robles, cuando las oscuras nubes, de sol corona-
do rompe un capitán celestial de sus ejércitos nobles.

Atónitos se derriban de sí mismos los pastores;
y por la lumbre, las manos sobre los ojos se ponen.
Los perros alzan las frentes y las ovejuelas corren
cuando el nuncio soberano las plumas de oro descorre:
"Dios ha nacido en Belén en esta dichosa noche. Nació de una pura Virgen:
buscadlo, pues sabéis dónde..."

Los pastores,
convocando con dulces y alegres sones toda la tierra,
derriban palmas y laureles nobles.
Llegan al portal dichosos... El santo Niño los
mira y para que se enamoren,
se ríe en medio del llanto
y ellos le ofrecen sus dones.

*H*e aquí la oración del profeta Simeón cuando tuvo
al Niño Jesús en brazos: "Ahora, Señor, puedes
dejar que tu servidor muera en paz, porque mis ojos han
visto la salvación que preparaste delante de los pueblos" (Lc 2,29-30).

Diciembre 28

Todos llamamos a la noche de Navidad: ¡Nochebuena! ¿Por qué? ¿Qué significado pretendemos darle a esa noche con tal apelativo?

Como lo dice el canto popular, es que aquella noche fue noche de paz, noche de amor; así lo cantamos todavía hoy, como para darnos aliento y entusiasmar nuestros pechos.

Si es noche de paz, es Nochebuena; si es noche de amor, es Nochebuena; pero habrá que reflexionar unos momentos: la Nochebuena de este año, ¿fue noche de paz? ¿Fue noche de amor?

Si no lo fue, es inútil que pretendamos decir que fue Nochebuena; si no ha habido amor en nuestros corazones; si no hemos fundamentado la paz en nosotros mismos y con los que nos rodean; si entre las naciones no ha surgido el esfuerzo genuino y efectivo por la convivencia pacífica y humana, la Nochebuena que nos trajo el Niño Dios se habrá convertido en un mero símbolo, sin expresividad, sin significado ni sentido.

De nosotros depende que las noches y los días sean buenos o no lo sean.

"*A na se puso a dar gracias a Dios y hablaba acerca del Niño a todos los que esperaban la redención de Jerusalén*" (Lc 2,38). *Ana, la profetisa que vivía en el templo, estaba dedicada a alabar a Dios; ¿no será también tu misión esa misma, allí donde Él te haya colocado? ¿Hablar del Señor, alabar al Señor, dar a conocer al Señor?*

Diciembre 29

¿Por qué la Noche de Navidad es Nochebuena?

Porque en ella nace el Mensajero de la Buena Nueva de que Dios tiene buena voluntad para todos los hombres. Porque nace la Luz del mundo, para que no caminemos en nuestra vida por las tinieblas del pecado. Porque nace el que viene a darnos verdaderas ganas de vivir, dando a nuestra vida un nuevo sentido y una nueva orientación. Porque nace Aquel que ha sido el único capaz de poder afirmar con verdad: «Vengan a mí todos los que están tristes y sufriendo; Yo los aliviaré».

Porque nace el verdadero Cordero de Dios, que quita el pecado del mundo, ese pecado colectivo que fabricamos todos los hombres de todos los tiempos. Porque nace Aquel que nos dará como precepto de su religión: «Ámense los unos a los otros». Porque nace el que pudo decir: «Yo soy la resurrección y la vida; quien cree en mí, aunque muera, vivirá para siempre».

Motivos más que suficientes para que llamemos a esa noche una verdadera Nochebuena.

Cuando Jesús cumplió doce años, fue al templo de Jerusalén con sus padres y allí se quedó, sin que ellos se dieran cuenta. Cuando a los tres días se encontraron y María le expuso su extrañeza por la ausencia, Jesús les dijo: "¿No sabían que yo debo ocuparme de los asuntos de mi Padre?" (Lc 2,49). ¿No deberás tú también pensar que las cosas del Padre te están encomendadas?

Diciembre 30

Se va terminando este año. Es que todo pasa...

En realidad, no es un año menos, sino un año más; un año más del que tendremos que dar cuenta; un año más que debemos añadir a nuestra responsabilidad.

Este año no ha pasado; ha quedado en cada una de las acciones que en él hemos realizado; buenas o malas, han dejado en nosotros una marca imborrable.

Quizá sintamos la tentación de catalogar este año como bueno o malo para nosotros, según hayan andado los negocios; pero no es ése el valor supremo.

Habrá sido año bueno si en él hemos mejorado en nuestra vida, si nos hemos perfeccionado, si nos hemos cultivado espiritualmente, si hemos vivido con amor y para el amor de Dios y de los hermanos.

No estará mal que nos detengamos unos momentos antes de terminar el año para hacer el balance de nuestra conciencia y delante de Dios.

"*Se acerca nuestro fin, se han cumpen nuestros días*" (Lam 4,18). "*¡Vuélvenos a ti, Señor, y volveremos: renueva nuestros días como en los tiempos pasados!*" (Lam 5,21). *Dios es el Dios de la vida; a nuestra muerte sucederá la Vida sin fin; a estos días perecederos que pasan como la sombra sucederá la Vida eterna, que nunca pasará y nunca disminuirá en la intensidad de su felicidad.*

Diciembre 31

Y llegamos al último día, al último momento del año. No todos los que comenzaron este año han podido terminarlo.

De los que lo terminan, no todos lo terminan con la felicidad y con la salud con las que nosotros tal vez lo terminamos.

Indudablemente, esto nos debe mover a un acto de gratitud a Dios, que nos ha concedido otro año más.

En estos 365 días hemos vivido más de 8.000 horas, y más de medio millón de minutos. ¿Podremos afirmar con verdad, delante de Dios y de nuestra conciencia, que todas esas horas y todos esos minutos han sido vividos con honestidad, buscando el bien y la verdad? ¿No habremos perdido lamentablemente algunos de esos minutos en actos que nos han rebajado; en violencias, en odios, en torcidas intenciones, en actos de pereza, de soberbia, en egoísmos?

Al terminar este año, no está mal arrepentirnos con sinceridad de todo lo malo que hayamos hecho y de todo lo bueno que hayamos dejado de hacer.

"El Señor creó al hombre de la tierra y lo hace volver de nuevo a ella; le señaló un número de días días y un tiempo determinado" (Eclo 17,1-2). *Cada uno de los días del año que ha pasado ha sido una responsabilidad para nosotros: ¿lo habremos hecho fructificar? ¿lo habremos dejado perder?*

Un año más que hemos vivido; un año más del que deberemos dar cuenta; un año menos que nos resta de vida; un año menos de tiempo en el que podamos vivir construyendo el Reino de Dios. "Mientras estamos a tiempo hagamos el bien a todos, pero especialmente a nuestros hermanos en la fe" (Gal 6,10).

Oración de todos los tiempos

Te pedimos, Señor,
que seas nuestra ayuda
y nuestra defensa.
Libra a aquellos de entre nosotros
que se hallan en tribulación,
compadécete de los humildes,
levanta a los caídos,
socorre a los necesitados,
cura a los enfermos,
haz volver a los que se han desviado,
da alimento a los que padecen hambre,
libertad a nuestros cautivos.
Fortalece a los débiles,
consuela a los afligidos.
Que todos sepan
que tú eres Dios y no hay otro,
y que Jesucristo es tu Servidor,
y que nosotros somos tu pueblo,
el rebaño que tú guías.

San Clemente de Roma

¡Adiós, hermano en Cristo!

Y hemos llegado al final.
Un año meditando;
meditando las glorias de Dios,
del Dios que se entrega a nosotros
por amor.
Por amor, que lo mueve a sufrir,
a callar y a morir.
Por amor.
Por amor a los hombres,
que tan mal respondemos;
que tan poco captamos
las finezas de un Dios que se humana,
que nos busca, nos espera y nos llama.

Meditemos cinco minutos al día
Los cinco minutos de Dios;
la miseria del hombre egoísta,
el barro que cubre su débil querer;
lo frágil,
mutable,
variado y opuesto de sus sentimientos,
la escoria que en sí mismo descubre
desde que amanece al anochecer.

Que el buen Dios nos ayude;
ese Dios que es el Padre que tanto nos ama;
y la Virgen Madre, modelo y patrona,
lleve nuestra mano
al peregrinar.
Que el Padre y la Madre del cielo,
que velan solícitos,
nos brinden su gracia,
la gracia que a todos nos lleve
a ser siempre rectos, piadosos, humildes,
a darnos al hermano con gran ilusión.

SI CRISTO NOS DIJO:
«YO CUENTO CONTIGO»,
NOSOTROS CONTEMOS CON ÉL.

Abreviaturas

Biblia

Am	Amós	Lc	Lucas
Ap	Apocalipsis	Lam	Lamentaciones
Ba	Baruc	2 Jn	2 Juan
1 Cor	1 Corintios	3 Jn	3 Juan
2 Cor	2 Corintios	Lc	Lucas
Col	Colosenses	Lam	Lamentaciones
1 Cr	1 Crónicas	Lv	Levítico
Dn	Daniel	1 Mac	1 Macabeos
Dt	Deuteronomio	Mc	Marcos
Ecl	Eclesiastés	Mt	Mateo
Eclo	Eclesiástico	Miq	Miqueas
Ef	Efesios	Neh	Nehemías
Ex	Éxodo	Os	Oseas
Flp	Filipenses	1 Pe	1 Pedro
Gal	Gálatas	2 Pe	2 Pedro
Gn	Génesis	Prov	Proverbios
Heb	Hebreos	Rom	Romanos
Hch	Hechos de los apóstoles	Sab	Sabiduría
		Sal	Salmos
Is	Isaías	Sof	Sofonías
Jr	Jeremías	Sant	Santiago
Job	Job	Tob	Tobías
Jdt	Judit	1 Tim	1 Timoteo
Jn	Juan	2 Tim	2 Timoteo
1 Jn	1 Juan	Tit	Tito
2 Jn	2 Juan	1 Ts	1 Tesalonicenses
3 Jn	3 Juan	Zac	Zacarías

Documentos
del Concilio Vaticano II°

AA *Apostolicam Actuositatem*, Decreto sobre el apostolado de los laicos.

DV *Dei Verbum*, Constitución dogmática sobre la Divina Revelación.

DH *Dignitatis Humanae*, Declaración sobre la libertad religiosa.

GS *Gaudium et Spes*, Constitución pastoral sobre la Iglesia en el mundo actual.

LG *Lumen Gentium*, Constitución dogmática sobre la Iglesia.

SC *Sacrosanctum Concilium*, Constitución sobre la sagrada Liturgia.

UR *Unitatis Redintegratio*, Decreto sobre el ecumenismo.

Cinco minutos con Jesús

Alfonso Milagro

Una selección de los mejores pensamientos del Padre Milagro, que ha sabido vibrar y transmitir su pasión por el mensaje de Jesús, elegidos para acompañar nuestro caminar a lo largo de todo un año y suscitar el deseo de querer encontrarlo cada día.

Los cinco minutos
de María

ALFONSO MILAGRO

A través de estos pensamientos cotidianos, el Padre Milagro nos ayuda a descubrir la grandeza de María, a percibir su amor y a amarla y a hacer que esos cinco minutos de lectura cotidiana se conviertan al mismo tiempo en púlpito y altar, en reflexión y plegaria.

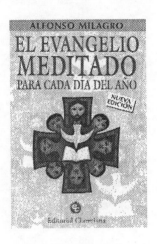

El Evangelio meditado

ALFONSO MILAGRO

El Evangelio señala el comienzo de un diálogo. Dios se nos hace cercano en Jesucristo y espera de nosotros una respuesta. Estas reflexiones buscan que día a día seamos capaces de ir respondiendo a la luz de esta Palabra

Consignas

ALFONSO MILAGRO

Un conjunto de pensamientos breves que nos ayudan a meditar y llenar
nuestra vida de esperanza. La lectura
de cada pensamiento ocupa un minuto; su recuerdo perdura todo el día

Pisando fuerte
en la vida

Alfonso Milagro

En tiempos en que se prioriza el
valor de la autoafirmación y la auto-
estima, este libro nos sugiere que pisar fuerte en la vida es abrirnos a la
acción de Dios y comprobar cómo las
cosas y los hechos se iluminan cuando
Jesús guía nuestros pasos.

Vive la sacramentalidad
de tu matrimonio

Alfonso Milagro

El padre Milagro nos conduce a
través de sus reflexiones a descubrir
el sentido del matrimonio cristiano
como sacramento que consagra la
entrega y el amor mutuo de la pareja.